MW00614897

Edmaris Carazo

El día que me venció el olvido

ISBN: 978-1-942352-70-9

Primera edición:2018

©Editorial EDP University, 2018

Diseño de Portada: Diana Tantillo
Foto de la autora: Naty Benítez Camacho, 2018
Diagramación: Linnette Cubano García

EDP University of Puerto Rico, Inc.
Ave. Ponce de León 560
Hato Rey, P.R.
PO Box 192303
San Juan, P.R. 00919-2303

www.edpuniversity.edu

 Editorial EDP

Mejor buenos recuerdos que un pasado perdido,
por eso un buen día Matilde acabó por tirarse en el río.
Lo que fue tan hermoso que no caiga al olvido,
te estaré recordando por siempre
Matilde que tú no te has ido.

-Pedro Guerra

1

Me despierto con la cuarta alarma del celular. La primera, la ignoro; la segunda, la cancelo; la tercera, la suspendo; la cuarta, me vence. Me toco el cuerpo entero como pasando lista, como haciendo inventario. Miro el teléfono, ojeo las llamadas perdidas, los buzones de voz, los mensajes de texto, el calendario del día. Me lanzo de la cama mientras me regaño por no saber con certeza cuál de mis pies tocó el piso primero. No existo antes del café. Mi abuela tenía una taza con una luna gris y tan pronto le echaba el café caliente, se convertía en un sol amarillo. Bueli lo hacía prácticamente todo con los ojos cerrados hasta el primer sorbo de café. Mis papás nunca bebieron café, por lo que crecí pensando que el café era cosa de viejos. Pero como el trabajo y la universidad me llegaron a la vez, el café se metió a mi vida casi por necesidad. Ahora pongo la greca lista sobre la hornilla desde la noche antes, aunque Bueli decía que una vez el aire toca el café, aunque sea antes de colarlo, eso ya es café viejo.

Lo primero que hago entonces es, sencillamente, prender la hornilla justo antes de meterme a bañar. Me baño dos veces al día como mínimo, con agua fría en las mañanas y caliente en las noches. No concibo cómo la gente puede bañarse menos veces con el calor infernal de este país. Tengo una regadera que tiene una veintena de presiones y velocidades, que día tras día, me da los buenos días y mejores noches, un lujo necesario. Por las mañanas lo que me saca infaliblemente de la ducha, lo que funciona mejor que cualquiera de mis alarmas, es el olor del café saliendo de la greca. Por alguna extraña razón, cuando huelo el café desde dentro de la bañera, me parece que la casa está llena y, por esos minutos, hasta me siento menos sola.

Antes del café no soporto los sonidos, ni tan siquiera la música. Es de las cosas que detesto de despertar acompañada: los ronquidos de los otros, las respiraciones matutinas, las toses esas de los fumadores que tanto me gustan, gente que prende el radio con la música equivocada antes de que mi cerebro haya terminado de despertar; las preguntas, las incisivas sobre el plan del resto del día cuando mi cuerpo aún ni ha comprendido que el día acaba de empezar. Nunca me estiro para no escuchar mis coyunturas quejarse. El sonido del celular me pone los nervios de punta desde hace un tiempo, por eso lo pongo a vibrar cuando me acuesto. Cuando uno no vive con toda la gente que importa, apagarlo por completo me parece temerario. Mientras me baño, lo pongo sobre la tapa del inodoro y he descubierto que el sonido de la vibración del celular contra cualquier superficie es aún más horroroso que los mismos timbres; no sólo parece que tiembla la tierra, sino que suena como las tripas de algo vivo, algo vivo y con hambre. Cada vez que el aparato suena, se me retuerce el estómago como un reflejo automático. Es lo terrible de la adultez, uno sabe que uno es adulto cuando las llamadas no emocionan, asustan. Te paran el corazón y de mala manera, porque las llamadas ya no son portadoras de invitaciones, ni de chismes, ni de ofertas tentadoras; las llamadas son de cobradores, de retahílas familiares, de mierderos esperando a ser limpiados por el primero que conteste el dichoso celular.

Y antes de las nueve de la mañana las posibilidades son limitadas: Mami, Papi, Oficina; en ese orden, casi siempre. Y antes de las nueve de la mañana, debido a la especificidad de los candidatos si uno no contesta, los mensajes de voz se multiplican. Debí haber desactivado el maldito buzón de voz hace tiempo; total, que los mensajes siempre dicen lo mismo con un tono más histérico, más calmado o más formal: –Te llamé y no te conseguí, llámame–. Ya van tantos intentos fallidos de explicarles a Mami, a Papi, a la Oficina; en ese orden, que una llamada perdida me envía exactamente el mismo mensaje sin tener que pasar por la pejiguera de marcar el asterisco 89: "Por favor ingrese su contraseña, usted ha oprimido una contraseña incorrecta, ¿sigue usted ahí? Por favor ingrese su contraseña, su buzón está casi lleno. Usted tiene espacio para tantos mensajes de voz nuevos. Por favor borre los mensajes que ya no necesita. Usted tiene tantos mensajes de voz nuevos, tantos mensajes guardados, tantos mensajes pasados por alto. Para escuchar los mensajes nuevos oprima uno. El siguiente mensaje fue enviado hoy a las ocho y cuarenta y tres minutos: 'Hola, te llamé no te conseguí, llámame cuando puedas-, para guardar este mensaje oprima 7 para borrarlo oprima 9, usted ha oprimido una letra incorrecta-, y ahí se van minutos que pude haber usado dilatando la alarma un poquito más, o bebiendo café sentada, por aquello de variar, o en mi ducha con mi regadera.

Esta vez las tripas que sonaban eran las de mi madre, -Hola mamita, ¿cómo estás?-. Mi madre y yo podemos hablarnos y hasta casi gritarnos por horas sin lograr entendernos. Sin embargo, con cuatro palabras a través de un celular y aunque nos separen océanos, sabemos el estado de ánimo de la otra. Sabemos si el saludo oculta una noticia buenísima o una tragedia innombrable. Le contesto, "Mamá, qué pasó", y ella da vueltas como siempre, como si hubiese una ínfima posibilidad de que me estuviera llamando para saludarme, para preguntarme cómo estoy. -Es que necesito que vengas para casa de tu abuela.

-Mamá yo tengo que estar en la oficina en menos de media hora y ya estoy tarde, ¿qué pasó ahora?

-Tu abuela me llamó atacada en llanto que se quiere ir para su casa, que mira la hora que es y que Mamita la debe estar esperando. Le dije que esta era su casa y que Mamita se había muerto hacía más de 15 años, y ahora está histérica porque nadie le dijo que Mamita se murió y que ella ni tan siquiera fue al funeral de la madre que la parió.

–¡Es que a ti nada más se te ocurre!

–¿Pero qué querías que hiciera?

–Coño Mami, que le corrieras la máquina, que le digas que la vas a llevar ya mismo, que Mamita sabe que ella va de camino, que Mamita está de viaje, ¡qué sé yo! ¡barajea los cuentos!

–Bueno Analía, ya para qué, de nada me sirve que me regañes ahora. No tengo a quién más llamar. Tu papá está trabajando en Santo Domingo, así que, acaba y llega, que ella no para de gritar, y los vecinos van a empezar a venir a averiguar.

–Claro, por ahí voy.

Y el café al fregadero, y un beso al pan antes de tirarlo al zafacón, y otra escena repetida, y un mensaje de texto a mi jefe, "voy tarde discúlpeme, tengo otra situación familiar", y a tirarme un traje por encima, y a montarme en unos tacos y a contar mis pulseras 1,2,3,4,5,6 ... en la mano derecha y la de moneditas en la izquierda, siempre en la izquierda.

2

Lo de mi abuela empezó como algo gracioso, ella barría y mapeaba la casa una vez al día. De vez en cuando, empezó a hacerlo dos veces al día, y cuando uno le decía, Bueli, vas a gastar el piso, ella decía que no lo había limpiado. Cuando todos nos íbamos de cabeza que la habíamos visto mapear; luego sonreía y decía que en mayo siempre se metía más polvo que en el resto de los meses. La casa de mi abuela es de cemento por dentro, pero parece de madera por fuera. Mi abuelo le hizo un balcón con sus propias manos, de madera, y se convirtió en una fachada nueva. Fue casi como regalarle una casa nueva a Bueli. La realidad es que a abuelo Leo se le daban fácil las cosas manuales, y cuando cerraron la fábrica de botellas, vivía de chivos. Así que aprendió a hacer de todo: cortar grama, trabajos de plomería, pintar casas, construir balcones. El frente de la casa estaba preñado de trinitarias todo el año, como si viviésemos en una isla en eterna primavera. Tenía un portón que la rodeaba entera, no por protección sino por contención.

Mi abuela cuidó a prácticamente todos los primos hermanos, segundos y terceros que estaban por quedarse realengos por madres que, según ella, habían preferido hacerse las machotas y trabajar en vez de criar. Además, mi abuela siempre tuvo perros, en su mayoría satos, que recogía o que como ella decía, "le llegaban", porque, según ella, los animales escogen a sus amos. La casa de mi abuela era clásica, un patio inmenso con mangós, guayabas, limones, acerolas, grosellas, gandules, parchas, almendras; un mini campo familiar en el medio de una urbanización. En algunas ramas, siempre se ven galones de plástico cortados por la mitad y amarrados a los árboles con alambritos. Mi abuela les echa agua a los pajaritos para que se bañen; y azúcar para que coman; siempre se escuchan trinos alrededor de la casa de mi abuela. En ocasiones, una que otra reinita se mete a la casa, porque abuela no tiene escrines y entonces ves el pobre pajarito golpeándose contra las paredes tratando de salir. Bueli dice que la luz los ciega. No descansa hasta que logra sacar de la casa a la pobre reinita distraída. En la casa todo era original, cuartos pequeños, puertas que chirriaban, todo, menos el balcón con sus losetas de cerámica y sus ventanas que abrían hacia afuera, justo como ella siempre lo soñó. Alrededor de la casa, había matas que mi abuela sembraba cada vez que alguien moría. Una planta en honor a cada muerto. El pasillo no tenía puerta, le colgaban unas tiras de cuentecitas que apenas dividían el espacio, igual podían parecer cuentas cabareteras, que abalorios de rosario. Bueli siempre tenía la casa impecable, semanalmente, le pasaba paño a cuanta figurita de recordatorio de bodas, bautizos y quinceañeros, así como a los trofeos de sus hijos. Bueli, mi abuela, de estructura inquebrantable, con un itinerario militarmente rígido, pareciera que amanecía con reloj, nunca la he visto sin él puesto. Pero de pronto, empezó a perder las llaves, a mezclar nombres de hermanos, primos y tíos, a chequear el buzón más veces de la cuenta, a hacer la misma pregunta, una y otra vez. Esperaba que abuelo llegara sentada en el balcón, y cuando una le preguntaba Bueli, a quién tú esperas, se le leía de pronto un vacío en los ojos, un paréntesis infinito, y de pronto el brillo de nuevo y una carcajada, ay mija' no me hagas caso, es que estoy poniéndome vieja y chocha.

Yo me leí todos los libros que encontré para intentar entender el escape en la cabeza de mi abuela: –Cuando el día ya no tiene 24 horas–, –Luchando contra el olvido–, –Para que no me olvides–, –Guía para cuidadores de pacientes de Alzheimer–, –Qué esperar cuando se está olvidando–, entre muchos otros. De todos los términos, teorías, consejos para cuidadores y terapias familiares, sólo hubo una frase que me dio luz. Decía, que si recordábamos el primer día de clases de una escuela nueva, la incomodidad del uniforme, los libros nuevos, la pesadez del bulto, las caras que no teníamos registradas en la memoria, la sensación de ver a tus padres irse y dejarte en un lugar donde todo es desconocido, y decía, casi sentenciando: Eso es el Alzheimer.

Cuando llegué a casa de Bueli ese día, ella estaba exhausta de tanto llorar, mi abuela siempre ha tenido un efecto raro en la gente. Toda la vida la vivió en barrios y barriadas sospechosas, pero entonces una entra y se encuentra a mi abuela ataviada con una bata que bien podría ser desechable, pero le ves su cara de reina, su cutis perfecto siempre, las facciones exactas como estas actrices de los 30, cuyos rostros sólo tendrían sentido en fotografías color sepia. Es bella aún con los ojos hinchados. Ninguno de nosotros nos parecemos a ella. Ella es el epítome del gen recesivo. Estaba sollozando, como cuando los niños están a punto de terminar una de esas rabietas que uno piensa que se les va a explotar la cabeza, o a lo menos a salírsele los ojos de tanto llorar. Entre hipidos decía, Ay Mamita, Mamita. Mami le dijo, –llegó la nena, mira Bueli, llegó la nena–. Tengo casi 30 años y sigo siendo la nena.

–Ay Nena lo que me han hecho no tiene nombre...

–Vente, Bueli, vamos a pasear.

Yo era a quien único mi abuela no le ponía peros. Siempre ha sido así. Soy la primera nieta de las dos familias, y encima, la única mujer. La monté en el carro, le puse el aire acondicionado bien frío, le puse música de Navidad aunque faltaran meses, total, si ella no se entera. Un par de vueltas a la manzana más tarde, le ofrecí mantecado, mi abuela siempre fue golosa, pero a veces me da la impresión de que el olvido le agudizó los sentidos. En la fila del servicarro, mi abuela ya casi respiraba con serenidad. Cuando le fui a pagar al chico en la ventanilla, mi abuela se percató del escándalo de mis pulseras, y me piropeó la de las moneditas. No era casualidad que la hubiese heredado en vida de ella misma. En los últimos meses, me costaba aceptarle regalos, me dejaban en la boca un leve sabor a robo. Lo mismo me pasaba con las cosas que me contaba.

-Bueli, estoy saliendo con un muchacho más lindo, si lo vieras, un pollo.

-Ay mija, ojalá se te dé. Yo me paso dándole rodillas a San Juan y San Judas Tadeo que te mande algo, quien hubiese dicho que una nena tan linda se iba a quedar pa- vestir santos, óyeme ¡qué cosa!

Y gracias a los santos de las solteras y de los imposibles, todo volvió a la normalidad hasta nuevo aviso. Mi abuela y su eterno terror a mi soltería, me estaba persignando contra la jamonería desde los quince. El tema no fallaba, era el antídoto contra los duelos repetidos de mi abuela. No había llanto o desubicación que no se resolviera a fuerza de mantecado e historias de andantes, como ella les decía.

Tal como me imaginé, al regresar a la casa de mi abuela, mi madre estaba en la acera esperándome.

-Contra, contéstame el celular, que tengo el corazón en la boca.

-Nos fuimos a comer mantecado y ahora ustedes se van a pasear. Todo está bien. Mami, relájate. ¿Verdad Bueli, que todo está bien?

-Claro nena, ¿cómo más va a estar? A la verdad que esta nena tiene unas cosas. Tú no tienes trabajo hoy, ni que fuera feriado.

Me dio un beso en la frente, me echó la bendición y se bajó del carro con la parsimonia recuperada.

–Silvia, ¿almorzaste? Yo te preparo algo rapidito.

Le echó el brazo a mi madre y le tiró la punta de la barquilla a los perros. Desde que tengo memoria, deja la última parte, la mejor parte, para los perros, los de ella o los de la calle. Sin embargo nos enseñó a comernos la carne primero, la chuleta, el pollo o el bistec antes del arroz, porque cuando llega visita, el que no ha tocado la carne, le toca cederla. Hay que comer de prisa lo que más a uno le gusta por aquello de los invitados no invitados.

3

De camino al trabajo, miré mi celular y, como era de esperarse, tenía 6 llamadas perdidas, 4 mensajes de voz, 2 mensajes de texto: mi madre, mi padre, mi oficina, en ese orden. De las llamadas perdidas, 3 decían número restringido, siempre que mi papá está de viaje me llama más a mí que a mi madre. Siempre dice que no la consigue, pero creo que es una táctica para esquivarle la boca. Me maquillé y me perfumé entre los semáforos, creo que ya no sé hacerlo de otro modo. A veces me creo que vivo al límite, como si fuese aventurera y practicara deportes extremos, solamente porque me rifo las córneas con el delineador y ando con la cartera sin efectivo, el celular sin batería y con la luz de la gasolina eternamente encendida. No tengo un estacionamiento asignado, pero siempre me estaciono en el mismo lugar. Cuando llego y está ocupado, me enerva, como si fuese que alguien hubiera invadido mi propiedad. Animales de costumbre, dicen que somos. Llego dos horas tarde al trabajo y, encima de eso, el guardia me pide identificación. Llevo más de un año trabajando en el mismo edificio y todavía, todos los días, el tipo me tiene que pedir identificación. No sé si al pobre le falta memoria o si la pobre soy yo, que tengo la cara menos memorable del mundo. Para sumarle a mi día, hay un ascensor dañado y los otros dos están más lentos que nunca.

A veces una no sabe si cuando uno tiene prisa, el universo conspira para que todo vaya más lento o si es que una va tan rápido que ve el mundo como si estuviese en cámara lenta. Voy viviendo como si intentara treparme en una trotadora que ya estaba encendida y a toda velocidad. Yo corriendo despavoridamente y el mundo quieto, quieto, quieto. La puerta de mi oficina se abre con un código de seguridad estándar. Un día sí y un día no, marco el código de la alarma de mi casa, luego el número de mi ATH, y por último el código correcto antes de poder entrar. Creo que eso le hace el día a la recepcionista, que me sonríe desde adentro teniendo el botón de acceso a la puerta debajo de su escritorio. Me calmo recordándome que debajo de su escritorio, además del botón mágico, también tiene un abanico escondido, porque le dan calentones menopáusicos. Me lo repito para restarle al triunfo que tiene un día sí y un día no, de verme luchando por entrar. Digo buenos días y ella mira el reloj y me corrige, buenas tardes, y sonríe. Creo que prefiero al guardia desmemoriado, con él me queda la duda, con ella no tengo ninguna.

Me agarro del marco de la puerta de mi jefe y, sin poder evitarlo, suspiro, uno de esos suspiros que vienen desde el ombligo. Él está pegado al teléfono y me hace señas para que lo espere, que me siente, que está por terminar. Me frunce el ceño como preguntándome.

Con la boca hace medio puchero y se contesta. Con una guiñada me dice que todo va a estar bien. Cuelga el teléfono y antes de que me hable

–Discúlpeme, de verdad ¡qué vergüenza!

–No hay por qué disculparte ni de qué avergonzarte ¡Analía por Dios!

–Ay, es que me da cosa. No llegué a la reunión, los papeles se quedaron esperando en el Departamento de Estado.

–Yo creo que alguien por ahí lo que necesita es un almuerzo líquido.

–Yo preferiría que usted se enojara y que me cantara las cuarenta.

–¡Pero si no está bajo tu control! ¿Comiste algo?

–No, no he comido. Tengo media taza de café en el cuerpo, ¿y usted?

–¿Pero algún día dejarás de decirme usted? ¡Me haces sentir como un viejo de sesenta años!

–Yo a usted no lo puedo tutear.

–Pero, ¿por qué no?

–Porque usted es mi jefe.

–¿Y?

–Mire, yo necesito nombrar las cosas por lo que son, y decirle usted aunque sea joven me mantiene en perspectiva.

–O sea que si me dices tú, ¿se te olvida que soy tu jefe?

–No tanto así, pero bueno, sí.

–¿Y qué pasaría si se te olvidara?

21

–Que te hablaría malo, digo, que le hablaría malo.

–Analía, déjate de cosas, que malo ya tú me hablas. Agarre la cartera que usted y yo vamos a almorzar.

4

Cuando mi abuelo Leo murió, yo estaba soñando que estaba en el patio de su casa. El patio completo parecía hecho de dibujitos animados, lleno de pájaros azules, todos eran muñequitos. De pronto salió un pajarito marrón. Era el único que se veía real. Había decenas de los otros, pero yo sólo quería agarrar ese. Mis intenciones son persistentes hasta en los sueños. El pajarito daba saltos en las raíces del árbol de grosellas que quedaba justo detrás del cuarto de Bueli. Lo sé porque era el favorito de las iguanas y los lagartijos y, desde la ventana, pasábamos horas muertas mirando a los reptiles enterrar sus huevitos laboriosamente. Cuando fui a agarrarlo, mis papás me despertaron, sí papás, en plural, y al abrir los ojos, vi el pajarito marrón salir de mi habitación y se los dije, el pajarito, mira el pajarito, el pajarito se fue. No me dijeron nada, me pasé el día entero en el colegio mirando los cuadros de mi uniforme y pensando en el pajarito marrón.

Por la tarde, vinieron a buscarme mis papás, sí, papás, en plural, a decirme que aquel pajarito que vi en la mañana había sido abuelo Leo. Que aparentemente había venido a verme y a despedirse de mí. Toda la vida les he hecho la vida fácil. Cuando le pregunté a mi madre de dónde venían los bebés, me dijo que cuando un hombre y una mujer se amaban mucho dormían juntos y se abrazaban bien fuerte, bien fuerte, y por la mañana había un bebé dentro de la barriga de ella. Le pregunté a mi mamá que si me acostaba a dormir con papi y lo abrazaba fuertemente, como nos amábamos tanto, yo también tendría un bebé dentro de mi barriga. Me dijo que no, que no podían ser familia. Entonces intentó explicármelo con abejas y flores. Recién acababa de estudiar la polinización. Mi madre me explicaba el engendro de la vida con pistilos, estambres, estigmas y polen. Le dije a mi madre con todo mi conocimiento de cuarto grado que si ella estaba hablando de la película *Look Who's Talking* y cómo los espermatozoides competían por llegar al óvulo. Mi madre respiró profundamente y me dijo lo que siempre me decía. Así mismo, mi amor, así mismo.

Cuando me dijeron en el portón de la escuela que el pajarito que había visto por la mañana era abuelo que se había venido a despedir, lo único que dije fue que no entendía por qué se había tenido que llevar a abuelo Leo primero, en vez de llevarse a abuelo Emilio primero. Bueli y Abuelo Leo eran mis abuelos. Alolita y Abuelo Emilio eran los papás de mi papá. Les dije que me daba igual. Que cuando Abuelo Emilio nos buscaba, ni tan siquiera nos cargaba los libros, ni nos ayudaba con las loncheras. Es más, teníamos que esperar a que terminara de ser un encanto con nuestras maestras, con las madres de nuestros amigos. Ni siquiera nos dejaba decirle abuelo en público. Tío Emilio, nos repetía, Tío Emilio. Que por qué no se podía morir él primero. Mi papá sonrió, y mi mamá, por primera y última vez en la vida, me cruzó la cara de un bofetón el día en que se murió mi abuelo Leo.

A mi madre se le hizo difícil entender mi dolor por la muerte de abuelo Leo. Nunca lo lloré. Estuve años sin llorar. Bueli estaba tan tranquila. Mi madre también. A abuelo Leo se lo comió un cáncer en el esófago. Creo que mi abuela y todo su catolicismo implícito se quedaron sintiendo que había sido castigo de Dios. Bebía mucho, así que le dio cáncer donde tenía que darle. A la amante de abuelo Emilio le dio cáncer vaginal. Mis abuelas, ambas, una católica y la otra Testigo de Jehová, cuando se enteraron, hicieron exactamente el mismo gesto. Subieron las cejas. En ambos casos escuché a sus cejas decir la misma cosa: Le pasó por puta.

Cuando a abuelo Leo le dio cáncer, hacía todo lo posible para que no lo viéramos. No le gustaba que lo visitáramos porque se puso flaco. Tuvo que dejar de beber y sólo podía tomar jugo de tomate. Creo que desde entonces le cogí un asco implícito al tomate y a todas sus variantes. No me gustó mi abuelo rehabilitado. Mi abuelo sin beber era un hombre triste. Un hombre pequeño que había perdido poco a poco el color de su piel. Ese color que le había tomado tantas décadas lograr cortando grama por las casas de los vecinos. Ese color que se lo regaló Ferré, el Gobernador. Por lo menos eso decía mi abuela. Los penepés cerraron la fábrica de botellas donde trabajaba mi abuelo cuando regresó de la guerra. Ferré tenía la culpa del alcoholismo de mi abuelo. Eso decía Bueli y terminaba sentenciando: primero pasarán mil elefantes por una aguja, antes que un rico al cielo, mija. Y eso es porque, cuando escribieron la Biblia, no sabían todavía de los penepés, si no, diría ricos y penepés. En casa de Bueli había fotos de los políticos populares entre las fotos de la familia. Crecí pensando que Luis Muñoz Marín era algún tío abuelo nuestro. Una pava colgaba del balcón y tenían enmarcada la carta que Cuchín le escribió a mi abuela dándole el pésame por la muerte de mi tía. En casa de la familia de Papi eran penepés, pero eran fanáticos silentes, no habían rastros de lo obvio.

Mi madre tampoco lloró mucho, ni mi abuela. Fue como si casi les tranquilizara su muerte. Quizás tendría que ver con que mi madre y yo conocimos hombres distintos, yo conocí un abuelo, que como siempre estuvo ebrio nunca supe diferenciar su sobriedad de sus borracheras. Para mí, era un hombre bueno y cascarrabias que cantaba boleros los 7 días de la semana, que vivía enamorado de mi abuela, que tenía un repertorio de malas palabras que nunca había escuchado en ninguna boca en mi vida. Que se ponía camisillas viejas, rotas y manchadas y me dejaba terminar de destruírselas encima mientras aún las tenía puestas. Me contaba historias de la guerra de Corea, horribles y sangrientas, pero en su boca eran cuentos graciosos.

Abuelo Leo era un hombre que dentro de sus jumas, me llevaba caminando al colmadito de la esquina para que sus amigotes, como les decía Bueli, me conocieran. Mi abuela se quedaba llorándole y suplicándole que no me llevara en esas condiciones, que yo no me quería ir con él. Yo la desmentía, claro que quiero.

Sus amigotes me enseñaron a jugar dominó, me enseñaron los nombres de las viandas y las marcas de cerveza. Todavía no sabía hablar inglés, pero podría pronunciar perfectamente Schaefer y Budweiser. Me dejaban poner canciones en la vellonera del *liquor store* de al lado y me llenaban los bolsillos de dulces. Cuando regresábamos, mi abuela lloraba. Se sentaba en la máquina de coser, dándole con rabia al pedal. A mi abuela nunca la vi llorar de tristeza, las pocas veces que derramaba lágrimas era por rabia. Cantaba a Juan Gabriel a toda boca berreando, "Hasta que te conocí, vi la vida con dolor, no te miento fui feliz, aunque con muy poco amor". Tenía la comida hecha y nos la servía sin hablarnos. Abuelo y yo nos reíamos de su rabia.

Abuelo Leo me enseñó a desvainar gandules, me conseguía almendras y me las abría para que me las comiera recién abiertas, batía los huevos más rápido que nadie y se los tragaba crudos, como le enseñaron en la guerra. Decía que había comido ratones. Mi abuela una y otra vez lo desmentía.

—¡Por Dios Leo cómo le vas a decir eso! ¿No ves que no va a poder dormir? Tú siempre hablando de guerras y de muertos.

-Y tú de la Virgen y las vecinas.

Mi madre pensaba que yo había venido con un defecto de fábrica, como si hubiese nacido con los lagrimales cerrados. Cuando nena, me pegaba y yo no lloraba. Ella me pegaba más fuerte porque entendía mi falta de lágrimas como una afrenta; mi resistencia al dolor como un acto de subversión.

Me pasó igual con el papá de mi papá. Cuando abuelo Emilio se murió, tampoco lloré. No derramé ni una lágrima. No podía. No me salían. No las sentía. No fue abuelo, ni padre, ni marido; ni con la primera, ni con la segunda. Era un hombre encantador con el que no se podía contar. No me conocía en lo absoluto, yo tampoco a él. Lo único que recuerdo es que siempre se veía intacto. Alolita le planchaba hasta los calzoncillos, contaban. Eso sí, cuando yo iba a la casa, sólo tenía que decir que algo era lindo y me lo regalaba. A su mujer le enrabiaba, así que yo lo hacía cada vez que iba. Me antojaba de sus miniaturas y después se las regalaba a mi abuela. Ella era una mujer guapa, dicen. A mí me parecía que tenía encías de vampiro. Decían que se parecía a Nydia Caro cuando joven. Abuelo Leo me decía -ojos brujos-, por lo que siempre detesté la comparación.

Emilio murió solo en su apartamento. Su segunda esposa, 17 años menor que él, murió antes. Alolita decía que él la había matado. Que gracias a Jehová que la había dejado porque no me lo estaría contando. Cuando se murió, fue mi primera "pérdida" de adulta. De primera intención, pensé que había entrado al salón equivocado.

La cantidad de mujeres de mi edad, menores que yo, que se tiraban a llorar las unas sobre las otras por el "tío" Emilio. La gente se tomaba turnos para hablar sobre él. Aquello me parecía un circo. No había caja, mi abuelo se murió de una cirrosis tan abominable que lo que quedó de él jamás hubiese sido de su agrado que se exhibiera. Así que la gente estaba congregada alrededor de un purrón. Un purrón donde estaban los huesos pulverizados del patriarca, del tercer Don Juan de la familia.

De golpe, me entraron ganas de llorar. Unas ganas estreñidas de llorar por la rabia de escuchar todas esas personas hablar maravillas de un hombre que desconocí. En un principio, pensé que eran mentiras, gente impulsada por la emoción extraña de que un ser humano que conociste no lo ibas a volver a ver. Entonces, de repente, piensas que no fuiste suficientemente amable con el tipo y, de pronto, sus bondades se exponencian y sus maldades son de mal gusto ser recordadas. Casi inmediatamente, me dio rabia pensar que quizás fue un gran tipo. Alguien al que tal vez valía la pena conocer fuera de las anécdotas de Alolita, que lo amó con todo el odio del mundo hasta que se murió. Mi abuelo la hizo infeliz. Mi abuelo la amargó. Mi abuelo la anuló. Mi abuelo la humilló de todas las formas no violentas en que se puede humillar a una mujer. En eso pensaba mientras la gente hablaba de mi abuelo. Que ese Emilio no podía ser el mismo que cuando mi abuela le decía, chico los nenes te necesitan, ellos te extrañan, ellos necesitan ver a su papá, le sonreía y con ese tono de voz sin variantes, le daba la última foto que le habían tomado en la gasolinera y le decía: sácale 36 copias y pon seis en cada cuarto para que me vean todo el tiempo.

Aquel Emilio no podía ser el mismo tipo al que le hicieron una fiesta sorpresa de cumpleaños a la que nunca llegó y, cada vez que aparecía la imagen en las vistas fijas, la gente le cantaba cumpleaños, porque el homenajeado estaba siendo homenajeado de maneras más placenteras y menos onerosas. Ese mismo abuelo a quien mi abuela encontró desnudo y enganchado en una mujer diecisiete años menor, estacionado en medio de un terreno de construcción. Por ese abuelo yo no heredaría ni el juego de matrimonio de Alolita, porque de la rabia lo tiró al fango de la construcción. Para mí ese hombre nunca fue mi abuelo y seguía pensando que se debió haber muerto doce años antes, cuando se murió el que de veras era mi abuelo. Me daba tanta rabia que ni de rabia podía llorar.

Alolita, que siempre me pareció una mujer tan sabia y tan inteligente que no tendría de otra que terminar demencial, me decía que las mujeres buscaban a sus maridos según lo que no les gustaba de sus padres, que era mentira lo de que se buscaban a los hombres parecidos a sus padres, sino todo lo contrario. Buscaban un hombre que no tuviera lo que más detestaban de su figura paternal. Ella, por ejemplo, tuvo un padre violento, que se enojaba y volcaba la mesa del comedor con todo lo que tuviese encima, le daba con la correa y con lo que encontrara. Su papá, abuelo Nico, una vez peleó con el alcalde de su pueblo, porque no le había pagado por reparar los camiones de basura. Pasaron tres meses y no había recibido pago. Mi bisabuelo, rabioso, fue de noche y le sacó a los camiones todas las piezas que le había puesto. El alcalde fue a recriminarle y él agarró al alcalde por el cuello, y le dijo que jamás volviera a su casa, y menos a amenazarlo. En el pueblo de Mayagüez no se recogió la basura por tres semanas.

La cuestión no mejoró con el tiempo. El viejo, a sus ochenta y nueve años, estaba un día en su camioneta manual en un semáforo. Viejo al fin, tardó en poner el cambio para arrancar. El semáforo cambió a rojo y el carro que iba detrás en la fila comenzó a gritarle, "viejo mamao', no ves que tenemos prisa, viejo chocho" y miles de improperios más. Abuelo Nico se bajó del carro, dejó a la doña temblando como una hoja y le tocó el cristal al conductor. El tipo bajó el cristal riéndose y burlándose del vejestorio que había tenido el atrevimiento de enfrentarlo. Don Nico le apuntó con su revólver a la frente y le dijo, "yo tengo 89 años, me importan tres carajos pasar los dos o tres años que me queden preso por eliminar de la tierra a un bandolero como usted". El viejo se montó en su camioneta y dejó que el semáforo cambiara de verde a amarilla, de amarilla a roja, tres veces consecutivas. El tipo no osó tocar la bocina, ni una sola vez.

Por eso Alolita lo que quería era un hombre pacífico, con buenos modales, de voz pausada, porque se había vuelto intolerante al más mínimo indicio de

31

violencia. Decía que ni se había enterado que abuelo Emilio era un picaflor, un mujeriego. A ella lo que le importaba era que no le gritara ni le pegara. Nunca lo hizo, pero le pegó cuernos toda la vida, con el mayor descaro y la voz más pausada y dulce del mundo. Nunca entendí por qué lo quiso y lo lloró tanto.

Mi madre y yo tampoco compartíamos los afectos por abuelo Leo. Para mami había sido un padre alcohólico. Después de grande, me contó que sufría oyéndolo borracho, pretendiendo a Bueli con su peste a ron. Ella y mis tíos se metían en la cama para tratar de defenderla. Cuentan que abuelo Leo a veces se metía borracho a casas equivocadas, algunas veces de compañeros de escuela de ella, que luego le decían, "tu papá es un borrachón que vomitó la marquesina de mi casa anoche". Ella decía que era que su papá tenía un hermano gemelo. No había sido su papá, era su tío. Así que cuando mami conoció a papi, le encantó que no tomara ni maví. Era lo único que le importaba y en lo único que se fijó. El que fuera un padre divino fue un solamente un bono, lo demás fue siempre lo demás.

En el funeral de Emilio, huyéndole a aquellas infructuosas ganas de llorar, salí del salón pensando a quién llamar para que pudiera sacarme, de aquel circo-carrusel que daba vueltas en espiral alrededor de un purrón y que me estaba tragando la bondad. De repente pensé en mi primer novio. Por alguna extraña broma del destino o de mi subconsciente reincidente por naturaleza, pensé en aquel niño, aquel niño que me puso una sortija de pre compromiso cuando yo apenas tenía 15 años, a la misma edad en que mi padre comprometió a mi madre. La comprometió antes de haberle preguntado, antes de haberla siquiera besado. Mi caso fue bastante distinto. Aquel niño me pre comprometió antes de convertirse en mi primer todo. Fue el que logró que mi cuerpo estallara por primera vez.

Estábamos en la minivan de mi madre, última fila. Era una de las múltiples veces que mi papá se bajaba a trabajar y nos quedábamos en el carro a esperarlo. Mi madre al frente, la música a todo volumen y nosotros en el asiento de atrás, dejando el del medio vacío sin ninguna excusa lógica. Entonces él se acostó en mi falda porque tenía sueño o por cualquier otra excusa plausible de adolescentes. De pronto me subió un poco la falda. Yo recordé a Bueli, diciéndome que las rodillas tienen jabón, que una vez te tocan las rodillas, te lo tocan todo. Y el nene aquel doblándome el ruedo de mi falda de cuadritos. Doblaba una vez y me pasaba la lengua por el pedacito nuevo de piel al descubierto. Doblaba otra vez y su lengua seguía subiendo. Aquello tenía un efecto extraño en mis reflejos, cada vez que me lamía, me temblaban las nalgas. Entonces me subió la falda completa y empezó a circularme los muslos con su lengua y yo a veces me asqueaba y a veces me derretía. De ahí en adelante el asco nunca me ha vuelto a llegar sin acompañante.

El niño me pasó la lengua por las ingles, me mordisqueó el principio de los muslos. Entonces la técnica de doblar y lamer se extendió hasta mis pantis. Doblaba la costura y pasaba la lengua, redoblaba la costura y pasaba la lengua, de vez en cuando me miraba y me decía Analía, abre los ojos, abre los ojos chica. Yo los abría de par en par y de vez en cuando veía los ojos de mi madre en el retrovisor y me sonreía y yo le guiñaba un ojo, mientras me rodaban las gotas de sudor por la clavícula, me bajaban las gotas de sudor y se quedaban en mis brasielitos, me bajaban las gotas de sudor por la columna hasta llegar a las nalgas que me temblaban rítmicamente sin yo intentar siquiera moverlas. Aquella lengua que se movía como si se supiese mi vértice de memoria. Aquellos dientes mordían justo donde era necesario, con la fuerza precisa para que el dolor fuera delicioso. A mí se me cerraban los ojos y él me susurraba, "Analía", y yo espetando las uñas en el asiento del carro. La respiración se me atoraba y las bocas me salivaban y unas ganas ridículas de arrancarme el uniforme, de arañarle el cráneo, de meterme su cara completa dentro y de pronto, como un calambre en las caderas, como un espasmo en la pelvis, como si mi cuerpo completo quisiera estornudar, como si mi cerebro se hubiese fugado y un suspiro profundo de esos que vienen preñados de un grito. Aquel niño prodigioso me tapó la boca en el momento preciso. Las lágrimas empezaron a bajarme por la cara sin ningún tipo de control. Él asustado y yo con los ojos cerrados, y aun así seguía lagrimeando. Me preguntó si estaba bien y yo que sí y él pero estás llorando y yo moviendo la cara que sí y tapándole la boca.

—¿Las lágrimas son buenas o malas?

—¡Shhhhhh!

En el interín de intentar escapar del pseudo funeral de abuelo Emilio, me lo encontré de frente. Había venido a darme las condolencias. Me preguntó si estaba bien, le dije que no, me preguntó si había comido, le dije que no. Me preguntó si podía hacer algo por mí, le dije sácame de aquí.

Nos montamos en el carro y le pedí que diera vueltas sin ningún rumbo. Necesitaba despejar la mente. Ya nos había caído la noche. Luego de vueltas y vueltas terminamos moviéndonos alrededor de ningún punto en el estacionamiento vacío de un centro comercial. Le pedí que se estacionara, me preguntó que si tenía náuseas, le pedí que por favor se estacionara. Él me hizo caso.

Salté al asiento de atrás, me bajé los pantis, me subí la falda, abrí las piernas y le dije con un taco en la garganta, con el mismo taco en la garganta con el que llevaba tragando y respirando desde hacía 2 días y medio atrás, "por lo que más quieras, hazme llorar".

Y así lo hizo.

5

Hoy fuimos a buscar a la nena a la escuela. A mí me hubiese gustado que la nena estudiara en el Corazón de María, al lado de casa, yo no guío, pero podía caminar hasta casa. Ahí las monjas son españolas, viejitas y dulces. Pero no, a la nena la pusieron en un colegio laico, pero bilingüe. Para que hablara inglés, lo más seguro para que le sirviera a los papás de intérprete. Allí duró apenas dos años. Primero porque le daban ballet los martes y la nena detestaba el ballet y convenientemente le daban unos dolores de barriga terribles un martes sí y un martes no.

Todo terminó de fastidiarse un día, cuando a todo el mundo se le olvidó buscar a la nena. En la familia se turnaban las búsquedas. Un día era el papá, otro día la madrina, otro día mi hija Silvia, otro día el abuelo Emilio y ese día, cada uno de ellos pensó que le tocaba al otro. La nena estuvo cuatro horas y media esperando que alguien la fuera a buscar, con cuatro años y medio. Yo no sé cuál es la prisa de la gente hoy en día con que los niños vayan a las escuelas desde tan chiquititos. Si total, no aprenden nada, les cobran un fracatán de chavos, les dan comida malísima y la mitad del día los ponen a dormir. Yo me maté enviándole beepers al padre, al otro abuelo y nadie me contestó. Me estuvo tan raro que a las 2:00 pm no me hubiesen traído a la nena.

La nena fue a la oficina del colegio, porque esa es picúa desde que nació. A la hora de nacida ya se estaba riendo la condená. En la oficina pidió que la dejaran llamar, porque nadie la había ido a buscar y la escuela ya estaba vacía. La secretaria le pidió los diez centavos que costaría hacer la llamada en un teléfono público y, como la nena no los tenía no la dejaron llamar. Demás está decir que, cuando todo el mundo se dio cuenta, se formó un caos y a las seis y treinta fuimos todos a buscarla en tres carros diferentes. La nena estaba solita sentada en el piso de la glorieta en el medio de la escuela, ya ni tan siquiera lloraba, es más, después de eso apenas la he visto llorar. Mi hija jura y perjura que son malacrianzas, que no llora ni aunque le peguen, porque pareciera que hubiese tomado la decisión de no llorar nunca más. Estaba sentadita en flor de loto con los ojos hinchados y unos hipidos entrecortados. Parecía más exhausta que triste. Nos miró correr como locos hasta donde ella, sin siquiera inmutarse. Siempre ha sido una nena vieja. El primer día de escuela ni lloró, se despidió de los papás con la manita y caminó sola al salón sin mirar para atrás ni pa' coger impulso. Cuando llegamos, la besamos y abrazamos todos uno por uno, casi peleándonos los turnos, pidiendo perdón cada cual a su forma, moqueando los adultos, y la nena calladita, con el pechito todavía contrayéndosele y un temblor casi imperceptible en la clavícula. No hizo ni una sola pregunta. Agarró la lonchera, se limpió la nariz y nos dijo: "Doña Lucy no me dejó usar el teléfono porque no tenía los diez chavos".

Yo se los dije y ese día se los repetí, una monja jamás le hubiese negado una llamada a una niña por diez miserables centavos. Desde nena, tenía una pulsera que me regaló mi abuela con diez moneditas de diez. Ese día se la di, para que nunca en su vida le faltaran diez centavos. Mi hija peleó y refunfuñó porque es cantaletera como mi madre, que cómo le iba a dar una pulsera tan importante a esa nena que todo se le cae, todo se le pierde y todo lo destruye. Yo le digo que tiene mantequillita en las manos porque cosa que se le pone en las manos, cosa que termina en el piso, y mi hija siempre sentencia, mantequilla ni mantequilla, mierda es lo que tiene, mierda.

La otra abuela, cambió diez dólares en centavos de diez y se los restalló en el escritorio a doña Lucy y le dijo una retahíla de barbaridades y malas palabras que ni mi marido veterano de guerra hubiese podido combinar mejor ni estando jumo. Terminó diciéndole: "ojalá que Jehová la pueda perdonar, porque nosotros no". Los Testigos de Jehová son otra cosa.

Entonces la tuvieron que cambiar de escuela porque se pasaba todo el día interrumpiendo a las maestras, preguntando que qué hora era y pidiendo permiso para ir al baño sólo para caminar hasta la glorieta a ver si alguien la había ido a buscar. La maestra le pidió a mi hija que le comprara un reloj de muñeca digital, pero el remedio fue peor que la enfermedad porque la nena lo único que hacía era mirar la hora y ver los números cambiar. Esa nena, quizás por haberse criado entre viejos, siempre ha sido así, se obsesiona a la menor provocación. Siempre le decía que no se comiera las semillas de las guayabas ni las pepas de las parchas porque le salía una matita por el ombligo, y ella se las comía de todas formas, voluntariosa como la madre, mentirosa como el pai, y yo la descubría en la mentira porque la encontraba con la camisa arriba, mirándose el ombligo con cara de asustá.

Luego la metieron a un colegio católico bilingüe, con monjas gringas, sabrá Dios cómo eso pasó. Por lo menos era una escuela pequeña con un buen nombre, Colegio Sagrado Corazón de Jesús, llena de matas de cruz de Malta. La nena se pasa cazando mariposas hembras y machos, ella está convencida de que las hembras son blancas y los machos violetas. Hay que dejarla que se lo crea. Ella las junta en parejitas y jura que hace que se crucen y se multipliquen con nada más ponerlas de dos en dos, mezcladas, una de cada color en la misma rama. A lo mejor es porque de chiquita me pasaba leyéndole la historia del Arca de Noé. Total, que en realidad no son ni mariposas, son de los insectitos esos que llenan las matas de un hongo blanco, embellecen el arbusto por fuera mientras lo pudren y se lo comen por dentro.

Hoy, cuando fuimos a buscar a la nena, yo fui con Silvia, porque tenía una cita de seguimiento por la mañana y ella me llevó. Los sobrevivientes de cáncer

40

siempre vivimos rezando que el cáncer no vuelva, que se haya ido para siempre. Ya yo no sé ni lo que es la carne roja. Es más, me da hasta asco cocinarla. Yo ahora vivo de las tres P como dice el doctor: Pollo, Pavo y Pescado, para no cucar el cáncer, porque el cáncer es como el diablo, uno no debe ni nombrarlo, porque nombrarlo es llamarlo y llamarlo, contrario a lo que dice el refrán, sí es verlo venir.

Ay, Dios mío, si tengo la cabeza como loca. Lo que quería contar era que cuando fuimos a buscar a la nena a la escuela, estaba agarrada de manos con un noviecito. Parece que llevan tiempo porque mi hija no se puso histérica ni nada. Ay Virgen, esa nena no ha tenido quinceañero y ya tiene y que novio. No se sabe limpiar el ombligo y anda de manito sudada en la hora de salida y sabrá Dios si en la hora de almuerzo también. Se lo dije a Silvia, que esos nenes de hoy en día, que tuviera cuida'o, que no le deje poner una mano ni en la rodilla, hay que meterles miedo porque el diablo es puerco y esos nenes lo que tienen son musarañas en la cabeza. Yo sé que de grande, la nena va a ser algo grande y si se enreda con el bandolerito que no es, se fastidia todo. Silvia me dijo que por eso no me habían dicho na', porque me iba a poner con cosas. Es más, estoy segura que ella fue la que le dijo a la nena que no me contara, si esa nena a mí me lo dice y me lo pregunta todo.

La cosa es que le dimos pon al muchachito a casa de la abuela, que vivía a un par de calles de la escuela, como si no tuviese juventud y dos buenas piernas para caminar hasta allá. La nena me pidió que me bajara para que conociera a la abuela del nene. Cuando me bajé, una señora gordísima con bien poquito pelo blanco en la cabeza me gritó desde dentro de la marquesina mientras abría el portón eléctrico: "Juliana yo no puedo creer esto". Me dijo que estudiamos juntas en la Vilamayo. Me recitó los nombres de la mitad de mis hermanos. Yo no la recuerdo, traté de imaginármela con pelo, con la mitad de las libras que tenía, y nada. Me habló del novio que tenía, de sus hermanas, de nombres de maestras, mis dos apellidos y hasta sabía el nombre de mi mejor amiga desde escuela elemental. Seguía dándome detalles y nombres, contándome historias que supuestamente habíamos vivido juntas. Me dio un dolor de cabeza tan grande y unas ganas de llorar, y un mareo y una ansiedad. Terminé diciéndole que sí, a todo que sí, que me recordaba de todo y le repetí par de cosas que ella me contó, pero nunca pude recordarla. Además se veía tan mataíta al lado mío. Me parece imposible que tengamos la misma edad. Nos despedimos y hubo un silencio de esos raros en el carro.

Pasamos por al lado de un cementerio y la nena me preguntó que por qué no me había persignado cuando pasamos por ahí. Le dije que no lo había visto, que estaba pensando en otra cosa, que ojalá Dios me perdone, que si ella lo hizo por mí, los muertos entenderían.

Llegué a la casa y me eché a llorar. Últimamente todo se me olvida. A veces recito todos los nombres de mis hijos y mis hermanos antes de poder decir, Analía pon la mesa que la comida está lista. Los otros días me hice un café y estuve buscando la taza por toda la casa y al otro día la encontré en la alacena, yo, que apenas existo antes del café. No soy gente sin el café. El café divide mi día, el que me despierta totalmente negro, el de las tres para la digestión con un chorrito de leche hervida, el de la noche, un aguaje, un bibí como el que le doy a la nena cuando se queda conmigo sin que mi hija lo sepa. Criar niños sin café, yo no sé a quién se le ocurre si yo llevo bebiendo café desde que tengo memoria y nada me pasó.

A veces termino mi café y le cuelo café a Leo, a Leo que ya no sé ni hace cuántos años se murió. Tengo la cabeza loca y la locura se hereda. A Papito le dio cáncer, yo ya heredé el cáncer y la gente dice que lo vencí, pero para mí que me venció. No hay refrán más cierto que dice que no es quien gane más batallas, es quien gane la guerra y la guerra la perdí cuando se llevó a una de mis hijas. No hay dolor más grande que ese. Ya yo perdí a mi mamá, a mi marido, a algunos hermanos, pero nada como la muerte de un hijo. A la nena, Amalia, le dio cáncer en un seno cuando a mí me estaban dando quimioterapia por el cáncer de colon. Se quedó calladita y no me contó nada hasta que yo salí del tratamiento y empezó el de ella. Se le cayeron los rizos. Andaba siempre con bandanas de colores cubriéndose la calva. Le quitaron el seno y se le fastidió el modelaje. Aunque de todos modos, ya ella poco a poco había empezado a rechazar trabajos de modelar, porque no le gustaba que los estudiantes la vieran promocionando ron, ni cigarrillos que eran los que más pagaban. De verdad que me salió tan linda esa nena, total, para que se me muriera a los 33, a la edad de Jesucristo, 2 meses antes de su boda. La habían declarado sobreviviente pero se metió al Hospital Veteranos a visitar al papá de una estudiante, porque ya ejercía de trabajadora social, siempre tan presentá.

Yo creo que la nena salió a la tía en muchas cosas. Todavía no tenía el sistema inmunológico listo, porque al cáncer se le mata matándose uno de a poquito, no se les ha ocurrido nada mejor. Así que le dio una pulmonía y después una hepatitis que dicen que sólo le da a los viejitos. Tenía cenizas en los pulmones y nunca fumó. Le tocaba, no hay de otra, a Dios no hay que cuestionarlo. Eso le decía yo a los muchachos, porque Amalia tenía 2 novios, ellos no lo sabían pero nosotros sí. Yo no sé a quién salió tan coqueta, quizás sabía que su vida iba a ser corta e intentó vivirla toda de cantazo. Yo sé que Dios la perdonó porque era una muchacha buena de corazón.

El cáncer de Papito, en cambio, dicen que fue por cuestiones del ejército y por trabajar en las petroquímicas, pero era un hombre fuerte, bueno, grande y le dio la batalla al cáncer. Con la ayuda de Dios y gracias a la Virgen, sobrevivió. Pero después se le fue la mente, un hombre tan brillante y se le fue la mente. Yo me paso haciendo sopas de letras y llenando crucigramas. Dicen que eso ayuda a mantener la cabeza trabajando, eso sí, no uso una calculadora ni pa'Dios. Hay que mantener la mente corriendo. Pensar no es como correr bicicleta, se le olvida a uno cómo usar la cabeza si no la usa a menudo. El Señor obra de maneras misteriosas. Ojalá mi herencia se haya detenido en el cáncer. Quiera Dios que yo herede la claridad de mente de Mamita. Terminó en silla de ruedas por la diabetes, pero tenía la mente clarita y el gusto por los dulces afila'o hasta los últimos días. Se murió del corazón, es que tenía un genio. Mi hija Silvia es igual. Yo creo que los caracteres saltan generaciones. El Señor reprenda y proteja mi mente del olvido, mi fe de las dudas, mi carácter de la soberbia, mi cuerpo de la diabetes y mi corazón de la rabia. Amén.

6

De todos los sitios del mundo, me dice que nos encontremos aquí, en un dichoso restaurante árabe. Será hijo de puta. Lo busco y no lo encuentro y tiene la mesa más chiquita, detrás de una columna, ni que fuéramos amantes. Llego y se para de la silla y hala la mía y me da un beso de esos incómodos porque uno casi ni se lo espera y la cara no sabe pa'dónde coger y las bocas casi chocan y la música árabe al fondo y siento que todo el mundo sabe que esto es un polvo sin cuajar y le digo: ¿adiós y esa barba? Me pregunta si me gusta y a mí se me calienta el cuerpo, me suenan las pulseras y estoy casi segura de que se me nota, que debo tener el pecho rojo, que no debí haberme puesto este traje y, como sonrío, me agarra la mano y me la pasa por su cara, por la barba, en ambos lados y raspa, cómo raspa. No puedo evitar pensar en cómo rasparía en otros lados, abajo, más abajo. Es que los hombres se lo huelen, huelen la escasez por debajo de las cremas de vainilla y madera. Me sigue mirando como si pudiera verme las ganas por debajo del maquillaje. Quizás ya me ha leído que mientras más me embarro de maquillaje es que peor me siento. Se me olvida por un segundo que es mi jefe, sólo importa esa barba que raspa tan mágicamente. Se me olvida que tiene una esposa y sólo sé que tiene esos ojos que parecen del otro lado del mar. Se me olvida que tiene una hija y me importan 3 carajos que yo soy una hija. Me lo imagino encima y sólo escucho la música del restaurante, esa mujer en el fondo que gime. Siempre pienso que esas cantantes árabes se vienen mientras cantan. Él me pregunta que qué quiero comer y yo que odio las aceitunas y a él que le encantan y pienso en la leyenda esa estúpida de que, si amas las aceitunas, tu alma gemela las tiene que detestar. Yo ni he ojeado el menú. Miro a ningún lado y él me toca la rodilla para devolverme al cuerpo. Y escucho a mi abuela decirme que los hombres desnudos son tan y tan feos y que los muslos resbalan, que si me tocan la rodilla, la mano patina y patina y patina y no hay quien la pare. No suelo pensar en hombres desnudos. O sea, una cosa es un cuerpo conocido, adivinar lo que uno ya ha tocado, leer entre líneas lo ya leído, presumir lo adentrado y reconocerlo por detrás de las costuras, imaginarse que te reconoce y que te sonríe por debajo de la tela. Pero pensar en un desnudo nuevo no me sale.

–¿Les tomo la orden de las bebidas por ahora o ya están listos para ordenar?

–Yo creo que ella ni ha mirado el menú. Tráenos 2 cuba libres, uno con Diet Coke y el otro regular. Limón verde aparte si no es mucha molestia.

–Licenciado, no son ni las dos de la tarde.

–Tienes toda la razón, ya estamos tarde. Tráenos un babaganush y un hummus con pita en lo que nos decidimos.

Siempre hace la misma cosa, se supone que sean reuniones y aprovechemos la hora de almuerzo, él paga porque me roba mi tiempo, dice él, y de lo menos que hablamos es de trabajo, y como no me gusta pedir, él termina pidiéndolo todo por los dos, pidiéndolo todo por mí.

–Licenciado discúlpeme, tengo que coger esta llamada que es de larga distancia. –Y hago amague de pararme y él me agarra la muñeca.

–No hay problema, cógela aquí. –yo suspiro hondo.

–Hola Papa, ¿cómo estás? No, no estoy, bueno estoy reunida no, o sea, puedo hablar, pero estoy almorzando con mi jefe. No, no he hablado con ella. Ajá. Chico, mejor dile que vas a llegar lunes y así, si llegas el lunes, cumpliste tu palabra y si llegas antes, le das una sorpresa. Coño, es que tú no aprendes. Después la que me jodo soy yo. A mí es que me arde Troya cuando ella se encojona contigo. Papa, él sabe que yo hablo así. Okei, okei. Está bien. Yo a ti. Cuídate, pórtate bien, al menos trata y, si te vas a portar mal, no dejes evidencia, por Dios. ¡Muá!

–Oye, tú como que te llevas de lo más bien con tu papá.

–Normal.

–No, no es normal, parecen panas.

–No es tan sencillo como parece.

–¿Cómo así?

–No le había dicho que solicité el good standing de Nieves Cardona y me dijeron que están atrás como 3 meses, me dieron una certificación de que se está procesando pero el certificado como tal, no lo vamos a recibir antes de 90 días.

–Analía, no me cambies el tema, no quiero hablar de trabajo. ¿No podemos tener un almuerzo sin hablar de burocracia y de la mediocridad del Departamento del Estado?

–¿De qué quiere hablar?

–¿Que de qué quiero hablar? De tu papá.

–¿Por qué yo voy a hablar de mi papá con usted?

–Y dale con el usted, porque sí, porque quiero darme un palo y picar babaganush y no escuchar las palabras: estados financieros, good standings, certificación negativa, sellos, trámite expedito, ¿es mucho pedir?

–¿Qué quiere saber de papi?

–Bueno, cualquier cosa, ya que contigo no se puede hablar ni de tu abuela, ni de tu madre, ni de tus jevos, ni de por quién votas, se me ocurrió que podemos hablar de tu papá, ya que hablaste frente a mí con él y, para variar, no parecía un tema *off limits*.

–Okei, pues mi papá, es súper buen papá.

–¿Daddy's little girl?

–Algo así.

–¿Cuál es el pero?

—¿Por qué pero?

—Porque tú a todo le pones un pero y me parece que tienes uno ahí pillado entre esa boca linda y el próximo sorbo de ron.

—¿Están listos para ordenar?

—Tráenos hummus y babaganush con pan pita, esas hojas de parra rellenas, ¿tienen aceitunas?

—Sí.

—¿Puede salir sin aceitunas?

—Sí, ¿cómo no?

—Por favor pero asegúrate que no tenga ni una, porque la chica es alérgica.

—Claro que sí.

—¿Algo más en su orden?

—Tráenos cordero en salsa de yogurt para compartir y otro round de cubatas, uno regular

—Y el otro con Diet y dos rajas de limón verde, ¿verdad? Enseguida.

La mesera le sonrío toda zalamera, como siempre, es absurdo el encanto que tiene este hombre en la gente, ya sea en las meseras, en las secretarias y hasta en los funcionarios gubernamentales, es como si les hiciera cosquillas con los ojos.

—Yo no soy alérgica a las aceitunas.

—Pero las odias.

—Pero no soy alérgica, no soy alérgica a nada.

—Las odias con pasión púrpura que es la misma cosa.

—Pero decir que soy alérgica es una mentira.

–Una mentira piadosa, que no le hace daño a nadie y que te asegura que no le vas a dar un mordisco al relleno y te vas a morir del asco cuando muerdas una.

–A la verdad que usted no pierde una.

–Fíjate, la batalla con el usted, la estoy perdiendo miserablemente. ¿En serio no eres alérgica a nada?

–A nada de nada.

–Coño, ¡qué buenos genes!

–Já, buenos genes, sobretodo. ¿Y usted no tiene alergias?

–A la aspirina y a los mariscos.

–Qué triste.

–¿Triste? ¿Por qué?

–Porque puede pagarlos y no puede comerlos.

–¿Y tú de verdad, no crees que tienes buenos genes? Analía tú eres guapísima y una mujer fuerte y saludable. Nunca me has usado ni un día por enfermedad.

–Claro, ¿pero cuántas veces llego tarde o me tengo que ir porque algo explotó con mi abuela?

–Pero esa no eres tú, tú lo has dicho, es tu abuela.

–Pensé que estábamos hablando de genes.

–Permiso caballero, babaganush para compartir.

7

Bueli en realidad se llamaba Juliana y fue la menor de sus hermanas y la mayor de sus hermanos. De todos sus hermanos. De las dos familias. Porque mi bisabuelo tenía dos familias. Y nosotros somos los bastardos. Esa es la palabra que más odia mi abuela en el mundo. Ella me contaba que nunca sintió la diferencia. Mi bisabuelo se pasaba en la casa, cenaba en la casa, casi casi una semana sí y una no. Súper a la vanguardia y súper al estilo del Medio Oriente. Les daba el tiempo dividido matemáticamente a ambas.

Bueli empezó a salir con mi abuelo Leo por la sencilla razón de que no la dejaban salir con nadie más. Eran los 40, todo estaba mal visto. Mi abuela era la buenaza de la casa, la que ayudaba a su mamá a hacer los quehaceres, la que de niña la metieron en una bolsa de tela de saco a colgar de un árbol de mangó por 5 horas, sin que nadie se diera cuenta hasta la hora de cenar. Y cuando quedó una silla vacía en el comedor, entonces y sólo entonces, mi bisabuela preguntó por la nena. Le decían "bobito", porque no peleaba, no se defendía, ni tan siquiera lloraba. Por eso todas las maldades y los aburrimientos de sus hermanos le caían encima. Otro día la amarraron de un palo de grosellas lo más alto que pudieron a soga limpia y le prendieron fuego a la parte de abajo del árbol y cantaban como los indios mientras ella, calladita, sudando, rezaba en su mente como le enseñó su abuela: –El Señor es mi pastor nada me faltará–.

Abuelo Leo era el sobrino de un primo del primo, y en ese entonces, la sangre era garantía de algo. No era feo, era algo peor, era común. Mi abuela era blanca, blanquísima, con el pelo negro, casi azul, hasta la cintura. Alta, delgada, con cuerpo de bailarina, aunque nunca se le vio bailando. Salió con mi abuelo, lo que significaba sentarse en un balcón ambos mirando a un punto fijo, con alguna tía abuela solterona mirándolos fijamente a ambos. A mi abuela no le gustaba mi abuelo. Tenía 15 años, creo que ni siquiera entendía el concepto de gustar. Se había pasado la niñez aprendiendo a coser, a cocinar, a cuidar a los hermanos varones, a rezar rosarios.

Mi abuelo se enamoró perdidamente de mi abuela. Le llevaba doce años. Nadie lo culpó, nadie esperaba lo contrario. A mi abuela le daba lo mismo. Con honestidad, a veces sentí que a mi abuela todo le daba lo mismo, todo menos los novenarios, la cocina, la costura y yo. Tenía un temple envidiable y preocupante. Pero a mi abuelo nada le daba lo mismo, era todo o nada. Dos capricornianos limítrofes. Si le preguntabas a mi abuela cómo abuelo se le declaró, te decía, mientras meneaba la farina, pues, mija, me dijo que si no me casaba con él se pegaba un tiro. Al principio no le creí, me decía Bueli, pero una vez me miró a los ojos y yo supe que hablaba en serio. Y nos casamos. La noche de bodas fue horrible. Yo no le deseo eso a nadie. Prepárate porque lo más feo que hay en el mundo es un hombre esnú. Cuando yo vi aquello yo empecé a gritar: ¡Ay Mamita, Mamita, ayúdame, por favor, sálvame de ese monstruo! De verdad. Yo no sé por qué y que Dios me perdone, Dios hizo a la mujer tan bonita con todo tan recogidito y a ellos los hicieron con todo eso por fuera, como si se les hubiese salido una tripa, eso es una cosa horrible.

Yo la molestaba, diciéndole: -menos mal que son feos y seguiste pariendo, si te llega a gustar-. Mi abuela me amenazaba con lavarme la boca con jabón, persignándose y pidiéndole a Dios que me perdonara porque yo era loquita y no sabía lo que decía. Cuando me ponía escotes, me decía que me tapara eso, que eran de la Virgencita y yo le decía, no Bueli, la virgencita tuvo las suyas y yo tengo las mías. Si ella no les sacó provecho, asunto de ella. Y mi abuela escandalizada, persignándose, me decía que qué mucha rodilla iba a tener que dar por mí.

Bueli se casó a los 15 y, como era de esperarse, antes del año ya estaba embarazada por primera vez. Oportunamente, a mi abuelo lo mandaron para la guerra. Ella se tuvo que mudar con su suegra por aquello de cuidarse mutuamente. Como era tan cabecidura, según mi abuelo, le dio con parir a los 7 meses. Y mi abuelo, convenientemente, en Corea. Cuando parió, la bebé salió flaquita, despellejá, media amarillenta. Parecía un renacuajito, cuenta mi abuela. A ella la dieron de alta.

Con sus 16 años, se le hizo fácil recuperarse en seguida. Por eso hay que parir joven Analía, deja de estar dándote puesto, que cuando uno pare viejo los nenes salen con enfermedades y cosas. Bueli iba a ver a su bebé todos los días a través del cristal, intentando adivinarle las facciones desde dentro de la incubadora. Ya llevaba dos semanas visitando, cuando una señora dijo, delante de ella, pero quién se habrá tomado la molestia de parir una cosa tan fea. Refiriéndose a su primer bebé. Después de eso, Bueli lo único que hacía era esperar sin poder llorar.

Ella contaba como un logro que, un año después de eso, su bebé ganó el concurso bebé Carnation. -Y nunca tuve la dicha de encontrarme a aquella señora tan mala que hablaba así de un bebé, Dios le perdone esa lengua.-Y así todas las historias me las sé a medias. De versiones incompletas de una voz o la otra.

Cuando a Bueli le diagnosticaron Alzheimer, nadie sabía lo que era. La realidad es que el doctor le explicó a mi madre que los pacientes perdían la capacidad de crear memorias nuevas, que no había manera de tener la certeza de que era Alzheimer hasta que le hicieran una autopsia el día que murieran. La gente no muere de Alzheimer, no es una enfermedad lo que se conoce como técnicamente mortal. Es una condición degenerativa que hace que la persona pierda la capacidad de crear memorias nuevas y luego va borrando las no tan nuevas, hasta que sencillamente las borra absolutamente todas. Desde el primer beso, el primer hijo, el primer polvo, hasta comer, tragar, mear, pujar, caminar. El paciente de Alzheimer no pierde la capacidad de caminar, pierde la memoria del caminar, es decir, olvida que puede caminar. Va a llegar un día en que mi abuela no se va a levantar de la cama porque no se va a acordar de cómo hacerlo. Va a llegar un día en que no solo mi abuela va a olvidar mi cara y mi nombre y cualquier tipo de recuerdo u asociación emocional o generacional conmigo. Seré una completa desconocida, como también lo serán sus propias manos, su propio ombligo, sus propios pies.

Y uno vive con una rabia perpetua, calladita, lenta y letal que busca culpables, que intenta resarcir daños, establecer responsabilidades, una urgencia por ir más rápido que el olvido. Uno intenta correr y correr mintiéndose a uno mismo y creyendo que se puede ser más rápido que la enfermedad. Y cada vez que se me olvida algo, siento pánico. Cada vez que dejo las llaves dentro del carro, me parece que he perdido una batalla trascendental. Me niego a hacer listas porque siento que cedo, que me rindo. Intento encontrar en la fe de Bueli el salmo idílico que pueda usar de mantra cada vez que me pasa por la mente que quien menos se merecía el olvido en el mundo es mi abuela, que no me explico cuándo le toca el turno, cuándo le toca la plenitud, los supuestos "premios" de su Dios por sus sacrificios, por su fe, su compasión y su solidaridad.

Intento consolarme con la idea aquella descabellada de mi primer novio que decía que era lo mejor que le podía pasar a mi abuela, no poder recordar que mi abuelo era alcohólico, que dejó literalmente la tráquea en una botella, olvidar que a mi tía le dio cáncer a la misma vez que a ella y ella lo sobrevivió y su hija no. Olvidar que nunca fue feliz, ella nunca me lo dijo pero cómo se puede ser feliz, bregando siempre con tanto cáncer, haciendo 3 comidas al día, bregando con las borracheras de mi abuelo, sin haber tenido un amante que la hiciera sonreír, sin cumplirse un sueño, sin salir de aquí. No me consuela pensar que ella no podía extrañar lo que nunca tuvo, sino, todo lo contrario.

Me da rabia que no le grabé la sabiduría en un cassette. Que no le hice preguntas importantes y la grabé con su voz hermosa, la misma con la que me cantaba, ay turulete, ay turulete, que el que no tiene vaca, no bebe leche, Analía, como la tiene la bebe siempre, ay turulete, ay turulete. Debí haberla perseguido por la cocina con una taza de medir antes de que ella echara al ojo por ciento la cantidad de agua, de arroz, de sofrito hecho a mano. Debí andar libreta en mano apuntando sus secretos, sus trucos de cocina que eran casi rituales mágicos, nadie lo hizo y todos hablamos de su salsa tártara y sus pescaditos empanados y su comida de pobre que eran los mejunjes más espectaculares que boca hubiese podido probar. Cualquiera de nosotros cambiábamos un bizcocho de 100 pesos por una bolita de mantecado de vainilla y su espectacular dulce de grosellas. Y pensar que terminó viviendo con la alacena cerrada bajo llave y candado para evitar que se queme ella misma o que guise la carne de perro con toda naturalidad.

8

Me paro en un semáforo, de esos que son eternos por la veintiúnica razón de que quiero que cambie ya. Entonces decido empezar a maquillarme y, como por arte de magia, el semáforo cambia de color. Tanta prisa para estar en una actividad del trabajo, ir por cumplir, después de un día entero de corre y corre, después de horas en agencias gubernamentales, en el Departamento del Estado, que ya el guardia ni el nombre me pide, la recepcionista que no me perdona que la llamé inútil una vez, y se desquita cada vez que puede porque en una isla no hay por dónde escaparse, en una isla no hay dónde meterse, en esta isla es mejor prender una vela y rezar porque el enemigo se pegue en la lotería y se mude del país, porque es más probable eso a que lo boten porque no trabaja o que se retire antes de terminar de acabarte la paciencia.

Entonces me paso el día entero perdiendo la juventud que me queda en sillas incómodas de agencias gubernamentales, sillas que tengo que presionar con las manos antes de ponerles las nalgas encima porque la posibilidad de que estén podridas como todo lo demás y que se derrumben con el peso de uno son incalculables.

Me paso en salas de espera que huelen a humedad, a hongo, a madera rancia, porque estar rodeados de agua nos condena a eso, no sólo a ser unos agorafóbicos condenados a mirarnos el ombligo como si en él se encontraran todos los misterios del mundo, sino a uno que otro claustrofóbico insular como yo, sufra de ataques de pánico ante la mera idea de que por más que corra en un carro con el tanque lleno, siempre llegaré a una puta orilla. Se me van las horas mirando una pantalla que cambia los turnos en un orden que no tiene sentido, a veces 76 y luego 45 y después 78 y, de la nada, 19. Todo con la excusa de que hay ventanillas distintas para procesos distintos, un nuevo protocolo para reducir la burocracia, trámites de economía procesal, le llaman ellos, aunque todos sabemos que es pura improvisación y falta de personal y demasiada retención de mediocridad y de pronto te llaman y te paras frente a la ventanilla a escuchar las secretarias hablar de la telenovela del día anterior, que ya mismo es hora de almuerzo, que a la otra se le quedó el almuerzo en la casa y la otra carcajea y le dice, ese Alzheimer te está volviendo loca, y se mueren de la risa. Respiro y recuerdo que necesito el trabajo, que tengo un mes atrás de luz eléctrica, que necesito pagar cosas, que no es momento de dar lecciones de tacto. No hay tiempo de explicarle a la gente que los chistes sobre las enfermedades mentales no son graciosos y, cuando logras abrir la boca sin un improperio, te dicen que no cogiste el número que era, que los *good standings* son en el segundo piso y tienes que coger un turno distinto.

Salgo del primer piso y el guardia me mira y sonríe y me guiña un ojo como riéndose de mi desgracia. La señora de la recepción se abanica las uñas recién pintadas con un abanico de mano. La miro con reproche quizás por pura envidia. Porque últimamente uso zapatos cerrados con tal de no tener que pintarme las uñas de los pies. No me hago una pedicura por falta de tiempo y por la vergüenza de que la chinita me despinte las uñas rojas y vea que debajo tenía anaranjado y debajo rosa viejo y debajo rojo otra vez, porque no encuentro cómo tomarme media hora para mantenerme en condiciones las uñas de los pies. Me parece un mero descuido de la evolución humana que todavía las tengamos, como el apéndice y los cordales. Cosas innecesarias que están ahí para que te exploten un día o te rajen las encías a la menor provocación o para adornar los pies y darte una responsabilidad femenina adicional, tener las putas uñas de los pies pintaditas por cuestiones de higiene, supuestamente.

Así que subo a la oficina que me dijeron, rezando que esta sí sea la oficina correcta, y la gente en la sala de espera está jugando veo-veo y viendo Despierta América con su español neutralizado y sus voces de princesas de Disney, hablando de figuras públicas que desconozco porque no tengo cable en mi casa, porque no tengo tiempo para verlo (ni hablar de dinero para pagarlo) o un día para instalarlo si quiera y me acuerdo que tengo que pagarle el cable a Bueli para que vea sus novelas, para que vea sus noticias, para que le siga grabando los juegos de

61

pelota a abuelo, a abuelo, que se murió hace años. Ella sigue grabándole los dichosos juegos y haciéndole café a las 3 de la tarde y yo sigo comprándole *cassettes* porque no quiero volver a decirle que abuelo se murió, así que le digo que está por llegar, y no sé si me duele más verla llorando porque abuelo se murió y nadie se lo dijo, o verla en el balcón meciéndose sin parar, esperando verlo llegar, verlo llegar de la guerra algunos días, verlo llegar de la fábrica de botellas otros tantos, verlo llegar de la escuela buscando a los nenes, verlo llegar borracho del *liquor store* o verlo llegar de la quimio. Mi abuela ahora turna las esperas, intercambia los momentos, mezcla todos sus pasados. A veces pienso que tengo esta mierda de trabajo para aprender a esperar, para aprender lo que se siente estar postrado en una eterna sala de espera donde tu tiempo y tu vida entera dependen de personas que no tienen la más puta idea de lo agonizante que es esperar por algo que quizás no va a llegar nunca. De pronto llaman mi número, el 67, y cuando le explico lo que quiero, me explican que son 200 dólares adicionales por ser trámite expedito.

Llamo a mi jefe y me dice la señora que no puedo usar el celular en la sala de espera. Ni que fuese un dichoso hospital. Yo me hago la que no escucho y mi jefe contesta que no hay problema, que los pague con mi dinero y él me los desembolsa cuando regrese a la oficina. No sé cómo explicarle con un ápice de tolerancia que lo que son $200 trapos de pesos para él, descuadran mi cuenta, que los cheques empiezan a rebotar si uso ese dinero. Me dice que use una tarjeta de crédito y yo intento explicarle a un hombre que se gana en un mes lo que yo me gano en un año que, si pago ese expedito ahora, mañana es 15 y me descuentan automáticamente el Medicare y se tumba el plan médico de mi abuela.

Desde hace años me siento que hago tan poco, apenas ocuparme del plan médico y comprar medicinas y pagar médicos porque a veces me falta la médula para cuidarla y observarla y tomar nota todos los días de cómo cada semana se me va un poco más. Prefiero no pagar cable, prefiero no saber qué pasa en el país, prefiero no haberme hecho una limpieza dental en dos años y tener los pies callosos, que decir que no puedo pagar y tener que bañar a mi Bueli y luchar con ella que todavía le queda el maldito pudor y no soporta que uno la vea desnuda. No soporta que uno le enjabone la entrepierna. Como no puedo decirle todo esto por teléfono a mi jefe, en el medio de una sala de espera donde el resto de los buitres esperan que alguien colapse para tener algún tipo de entretenimiento adicional, tan sólo le digo, –uff, ¡qué buena idea! Ya me estaba preguntando qué hacer con esos $200 dólares que me sobran y con los que siempre ando en el bolsillo de la nalga derecha del pantalón–. Él me dice que yo casi nunca uso pantalones, que me los paga hoy mismo, que no tengo que ser tan cínica; yo le digo que aunque yo sé que es sumamente difícil hacerle entender, yo vivo 15 a 15. El dinero entra a mi cuenta y apenas toca el fondo, ya está saliendo por otro lugar, que lo siento mucho pero que a menos que él se quiera tirar la misión de intentar entrar al Viejo San Juan al mediodía un viernes para darme el dinero y no perder el turno, va a tener que esperar al lunes.

Él me pregunta que qué me pasa, que si todo está bien, y yo le digo que cómo no, que claro que sí. Me dice que me acuerde de la actividad de la noche, que ya me anotó en la lista como su acompañante y confirmó nuestra asistencia; yo le digo que no, que cómo se me va a olvidar. Y claro que se me había olvidado. Nunca he entendido por qué la esposa no lo acompaña a esos sitios, con lo que le gusta el faranduleo y con lo poco que tiene para hacer.

Saliendo de San Juan, Mami me llama para decirme que está pillada en la escuela y que hay que llevar a Bueli a la cita del neurólogo. Gracias a Dios que Papi conoce a la secretaria, porque papi conoce a toda la isla, en especial a las secretarias. No tenemos dinero, pero conocemos a medio mundo y en esta isla, no es lo que tienes, sino a quién conozcas. Bien dicen que esto es un catre y todos estamos a 2 polvos del otro (digo yo); mi papá todo lo resuelve con comprar cafés y dulces de repostería y así se conquista el país. Por eso cuelan a abuela en cuanta cita médica y me creo que, por un momento, la vida se apiada, aunque esta vez no pude escaparme de la dichosa cita. El doctor me saluda y hace un chiste irónico de que no me conoce, de que qué joven estoy, haciéndose el gracioso y tirándome un regaño porque nunca soy yo quien viene a las citas. Un chiste malo porque mami y yo no nos parecemos en nada y parece que mami le ríe las gracias y me dice que le va a hacer unas preguntas, porque el Alzheimer se resuelve con tomarle fotos a un cerebro y ver cómo progresa la nube blanca y lo ocupa todo sin tener nunca evidencia científica contundente de que la enfermedad está ahí hasta que la persona por fin se muere, aunque lleve muerta hace demasiados años para contar, y le hacen una autopsia y te dicen si sí o si no. ¿Y a quién carajo se le ocurre que después de todo lo que mi abuela ha pasado a mí me va a importar un coño si era Alzheimer lo que hizo que una mujer que calculaba al centavo el dinero que había en un carrito de compras sin usar la ayuda de una calculadora se olvidara hasta de mi nombre y de la muerte de la mujer que la parió?

De pronto, me encuentro en una oficina de un médico barbudo, que cuenta sus palabras, que habla sin afectos y se me ocurre que debió haber sido veterinario, preferiblemente de animales de granja, y le dice a mi abuela, –¿Doña Juliana en qué año estamos?– Mi abuela frunce el labio, sube los hombros y me mira. Yo le digo 2005, abuela 2005. Ella se ríe y me dice ¿dos mil?, ni que dos mil. El doctor me regaña por ayudarla. Y entonces le pregunta, ¿doña Juliana, quién es el gobernador de Puerto Rico?, y mi abuela le contesta: ¿quién va a ser?, Luis Muñoz Marín. Entonces le pregunta a mi abuela que le diga nombres de animales con la letra P. Y mi abuela, que tiene 3 perras que son su vida, a quienes les da agua destilada, y les calienta la comida para que no se la coman fría, 3 perras a quienes les guarda la punta de las barquillas, sus 3 perras a quienes le lava los dientes y deja que le besen la boca, no puede mencionar el nombre de un animal con la letra P. Me mira con desespero, como un niño que no tiene la menor idea de qué le preguntan, como si le hablasen en un idioma que desconoce. El doctor con la cabeza me dice que no, que no la ayude, y yo odiando cada vez más al doctor ese maldito, y mi abuela, esa mujer capricorniana que tenía la memoria más detallada del mundo, que dibujaba como si tuviese cámaras fotográficas en las palmas de su mano, se agarra la frente y le dice al doctor: –No sé lo que me pasa, a veces como que me quedo en blanco, como que no puedo pensar.– Y se echa a llorar.

De nuevo, vuelvo a querer darle una pescozada al médico de pacotilla ese y llevarme a mi abuela a comer helados, y decirle que sí, que Muñoz Marín es el gobernador vitalicio, y que yo siempre voy a estar aquí por si algún imbécil le vuelve a preguntar qué animales empiezan con la letra p, para gritarle perro, pelícano, pájaro, potro, paloma, pez, pollito, puta madre que lo parió.

El tipo de pronto se vuelve humano y le dice, "tranquila Juliana, eso es normal, yo le voy a dar unas pastillitas que le van a ayudar muchísimo con la memoria, ya usté verá; y su nieta ahora va a venir más a menudo con usté, ya usté verá". De la nada mi abuela se pone clara, se vuelve fuerte, se enorgullece, me reconoce, se recuerda y le contesta. "Se nota que usted no conoce a mi nieta. Ella nunca me deja de visitar. Es la más buena conmigo. Ya usted quisiera tener una nieta que fuera la mitad de inteligente que es esta muchacha. Ahí donde usted la ve, no para de estudiar, y trabaja como las burras, es una machota. Yo le tengo una vela a la virgencita para que le consiga un hombre bueno, sin vicio, que la sepa valorar."

Un hombre bueno, para mi abuela significa que sea alto, blanco, preferiblemente rubio, que venga de una buena familia, que no tenga vicios, y vicios incluye cigarrillos y obviamente el alcohol, que tanto detesta. En el fondo también pienso que, idealmente, para ella un hombre bueno sería uno de una libido moribunda, la suficiente para darle un par de bisnietos, pero que yo no tenga que pasar por la tortura de tener simulacros de concepción. A veces me da terror imaginarme que mi abuela nunca se vino. Que sabe lo que son los partos naturales y no sepa lo que es un orgasmo. Que para ella su cuerpo sea ese templo del Espíritu Santo que le sirve de vehículo para el milagro de la vida y para coser, para rezar, para dibujar, esperar y cocinar, pero nunca para ningún tipo de placer corporal. Es más, a veces pienso que su fascinación por los dulces está relacionada con la ignorancia de la existencia de placeres mayores.

Llevo a mi abuela a la casa después del helado de rigor y me bajo a mirar el ambiente de la casa, siempre con miedo, siempre rezando no entrar y encontrar algo demasiado demencial, algo que le dé a mi madre, las razones que anda buscando para meterla en un dichoso "hogar".

Cuando entro, veo papeles pegados por las paredes. Mami le pegó todos los números al lado de los teléfonos. Le puso una lista de muertos en la nevera. Ajá, una lista de muertos: Mamita murió en tal año, Leo murió en tal año, Amalia murió en tal año. Ahí mismo me pregunto si no será mi madre la que realmente tiene escapes mentales. Me pongo a inspeccionar el baño, que no está sucio, pero que para los estándares de limpieza que tenía mi abuela cuando estaba buena y sana, es una asquerosidad. Los cuartos huelen a guardado, a casa cerrada donde no vive gente. El balcón parece sin barrer quizás hace semanas. El patio se ve gigante con todas las plantas ya casi fuera de control. La cocina con trastera, una colección de platos sucios, lo que nunca. Me fijo que debajo de la estufa hay unas cadenas con candado.

- Bueli . ¿Y esas cadenas?

Ella me sube las cejas resignadas y me dice,

–Ay mija, eso fue tu madre. El otro día, me vio que tenía un mechón de pelo quemado. Le conté   que abrí el gas y lo dejé correr un rato porque me despisté. Cuando fui a prender la estufa, salió ese fuego disparado para arriba y se me quemó un cantito de pelo. Ella se puso como loca. Tú sabes que yo no miento, pero total esas cosas le pasan a cualquiera.

–Abuela y ¿qué estás comiendo?

–Ella llegó el lunes con un montón de comida y puso la mitad en el *freezer* y la otra mitad en   l   a nevera, de lo más chévere, con todo y fechas y rotulitos que dicen qué tiene cada envase.

—Por lo menos no pasas trabajo.

—Yo lo que espero es que no se me olvide cocinar, si eso es lo único que yo sé hacer, mija, cocinar y coser.

—Ay Bueli, claro que no, tú sabes hacer muchas otras cosas como cantar y dibujar y contar y abrazar.

Y la abracé a la mala, como siempre, porque el cariño con mi abuela es como el Derecho, un sistema rogado desde siempre.

9

Silvia me llamó hoy atacá en llanto. Yo me asusté, pensé que le había pasado algo a la bebé. Dice que hay una mujer llamándola, diciéndole que está con su marido. Es que hay gente mala de verdad. Yo le dije que el llanto le hace mal a la bebé, que ellos todo lo sienten. Le dije que al enemigo no hay que darle cabida, porque la biblia lo dice, al enemigo le gusta refugiarse en la debilidad y en la duda de la gente. Ella dice que lo que pasa es que la tipa sabe mucho. Le habla las mañanas siguientes del día en que el marido más tarde llega. Ella jura y perjura que él ha cambiado con ella y que si es verdad, se quiere divorciar. Hoy en día la gente dice esa palabra como si fuese la primera solución cuando se trancan las cosas. Si casarse es hasta que la muerte los separe, entonces es hasta que la muerte los separe. Uno tiene que darse cuenta antes, porque después de prometerle a Dios, uno no puede fallarle. No es para tanto, todo el mundo tiene un defecto, todo marido va a tener una debilidad, la del mío siempre ha sido empinar el codo, el de ella las mentiras, pues, esa es la cruz que a uno le toca cargar. Dios no le da a uno, una cruz más pesada de la que uno pueda cargar. Le dije que llamara a la suegra, a esa sí que le fue duro. A mi consuegra le tocó alcohólico y mujeriego, por eso es que uno no se puede quejar.

10

Salgo corriendo para la actividad de mi jefe. Tarde, como siempre. Llego, no encuentro estacionamiento, tiene que haber algún tipo de fobia, de claustrofobia particular relacionada con no tener dónde dejar el carro. Parece mentira que a estas alturas no tengamos métodos de transportación plegables, que permitan doblar el carro y meterlo en la cartera y seguir andando. Me miro al espejo y tengo los ojos hundidos, el pelo sucio, porque me pongo nerviosa y me da con tocármelo. Siento que hasta apesto. Mi carro es un desastre, lo cual funciona en ocasiones. Encuentro talco de bebé en la guantera y me lo echo en el pelo. Me limpio las axilas con antibacterial. Me retoco el desodorante, me cambio los tacos por unos más altos, menos laborables, más putos.

Me pongo crema de vainilla y madera en las piernas, en el escote, me meto las manos en el brasier y me las acomodo, me las subo, brillo en la boca, y entre los senos, un truco que aprendí de nena cuando apenas los tenía, yo me pasaba rezando que me crecieran que me crecieran. Me seguían creciendo las nalgas y el pecho escaso, escaso. Mi abuela me decía, "no pidas tanto, que Dios después te lo manda de sopetón", y así me siguió mandando pulgadas de la cintura para abajo, un chin de sombra clara entre las tetas da la falsa ilusión de profundidad, lineal en los ojos, mientras peor me siento, más delineador me pongo y jamás a prueba de agua, eso me garantiza que me obligaré a mantenerme los ojos secos, a veces me gustaría tener tácticas de guerra como esa para otras cosas.

Saco la papelería de mi cartera, que es más maletín que cartera, más maleta que maletín, e intento hacer milagros y meter en una carterita de sobre, la identificación, el brillo labial, el celular, un par de condones, el efectivo que no tengo por aquello de hacer el aguaje y el cargador de teléfono para engancharlo en cualquier pared del evento, por si las moscas, por si las catástrofes.

Camino hasta la entrada pasando lista mental de que lo tengo todo. Le texteo a mami que voy a estar en una actividad del trabajo, que se traduce a, por favor, no me molestes a menos que haya una emergencia y emergencia está claramente definido entre nosotros como fuego y/o sangre en abundancia. Me revuelco un poquito el pelo para que parezca que lo tengo así a propósito y no que no me desenredo el pelo nunca y me lo lavo de más, como todo, siempre de más.

Entonces, el momento, ese momento siempre incómodo, la mesa de recepción, decir con quién ando, sentir que las ujieres se miran y sonríen aunque sea la paranoia crónica con la que siempre vivo. A esta hora del día que ya todo me irrita, que mis niveles de cafeína ya están por el piso, que necesito meterle aunque sea una pizca de alcohol a esta sangre. Con la prisa que ando, tropiezo hasta con mis propios pies. Tengo el deseo casi irreprimible de arrancarle la lista de invitados a la chica que busca infructuosamente un apellido que todos conocen. No deja de impresionarme esa incapacidad generalizada de encontrar los nombres aún con un alfabeto estándar. Ya sé que su apellido casi siempre está en la tercera página, le digo, "en la tercera página" y señalo con el índice mientras pujo una sonrisa.

La inútil que debe ser familia de alguien o la contrataron porque es linda linda, aunque bruta bruta, me pregunta esta vez mi nombre, y yo acostumbrada a la condena vital de deletrearme a, ene, a, ele, i latina, a, A-N-A-L-I-A. Contra, Analía, como suena, A-na-lí-a, sin ningún truco fonético, sin ninguna aspiración exótica, español puro y duro. Ya respiro sonoramente, entonces, siento que me agarran el codo y dicen "Analía, ella anda conmigo, no hay problema". Me parecen las palabras más hermosas del planeta tierra, y me saluda con un abrazo diplomático. Huele a acabado de bañar, porque este hombre parece que anda con una dichosa ducha portátil y un secador de pelo en el carro, y yo hecha trizas, con quince años menos que él y él pareciendo menor que yo.

Me resume los presentes en el oído, mientras parece como si fuese a besarme la cara, aunque no me la besa. Se me separa del cuerpo y sonríe. Me pone en la mano un vaso frío, Don Q, Diet Coke y dos rajas de limón, "¿eso es lo que bebemos todavía?", me pregunta, y con lo bonito que le sale la retórica. "Beba dama, beba", me dice. Y yo bebo, bebo, que si bebo.

Pasamos la hora habitual del caretazo, él saludar y saludar y yo sonreír y beber, beber y sonreír. No me presenta, o sea, me presenta, pero dice "ella es Analía" y siempre como que tartamudea un poco, como si no supiese cómo presentarme, cómo introducirme a su círculo de negocios, de amistades, de contactos, que para la gente rica pareciera que todos son la misma cosa. Ellos me miran de arriba abajo, con curiosidad, casi casi con sospecha, y yo me pongo nerviosa y bebo sin sostenerles la mirada. Cada vez que se me está acabando un trago, ya él me tiene otro puesto en la mano. Siempre hay gente de la prensa, del senado, abogados de renombre, contables. A todos los conozco, de nombre los conozco y sus correos electrónicos los conozco. Mi jefe les dice: "Ella es Analía", así, sin apellido. Entre ellos se mentan con 2 nombres y 2 apellidos, como si el abolengo no les cupiera en un apodo y encima lo acompañan con el título: este es el licenciado Juan Carlos García De La Noceda Ortiz, el Doctor Luis Alberto Aponte Ferré. En especial lo hacen cuando el segundo apellido suena más exclusivo que el primero o sus dos nombres son tan comunes y corrientes como yo y mi ascendencia. Los juntan como para que una se acuerde. Conoces a tres personas y pareciera que una se memoriza los nombres de un puto equipo de pelota.

Entonces recibo uno que otro: "Ah, la famosa Analía", "En serio eres Analía, no es por ofender pero te imaginaba mayor y eres joven y bonita", "Al fin le puedo poner la cara a los e-mails y el cuerpo a la voz." Una sonríe, intenta que no se le salga el asco por la boca o por el ceño o por los ojos. Esa es mi clave para escapar al baño y retocarme y pensar que odio venir a estas cosas, que detesto esta gente y que, total, no hago nada. A veces parece que mi jefe lo hace para enseñarme o quizás para tener una excusa para verme fuera de la oficina o quizás piensa que me hace un favor exponiéndome a esta gente tan exquisita que de otro modo no tendría el privilegio de conocer. Me textea, con lo que interrumpe la pelea mental que siempre tengo con él y conmigo, conmigo y con él: ¿quieres irte? Le contesto: Por favor.

Cuando salgo del baño, me está esperando en la puerta. Se ve ridículamente hermoso. Quizás es la mezcla del ron y el azúcar artificial del trago, pero lo veo fotografiado, en blanco y negro, en sepia. Mi jefe es uno de esos hombres hermosos no porque realmente lo sean. No es una cuestión de simetría de facciones. Es que es de esos seres que emanan esa energía que pareciera por una milésima de segundo que todo va a estar bien. Que por una vez en la vida, alguien me va a cuidar a mí, alguien tomará el guía y uno podrá por un breve espacio quizás de un par de horas quizás un par de días, sentarse a mirar el camino sin pensar, sin correr, sin esquivar los boquetes de la carretera, sin moderar la velocidad, sin mirar las revoluciones del carro que siempre se quedan cortas en comparación a las mías. Sin tener que pensar en los colores de los semáforos que por alguna extraña razón nunca he podido adaptar automáticamente y siempre me digo: rojo, para, amarillo, avanza que se cambia a roja, verde, cruza. Igual me pasa con la mano derecha y la izquierda. Tengo que meterme el pulgar izquierdo a la boca para saber cuál es cual.

Me chupé el dedo el tiempo suficiente como para que se me quedara marcado para siempre en el cielo de la boca. Dicen que en el primer sonograma aparecía mamándome el dedo. Por eso me alambraron los dientes por demasiado tiempo. Por eso, una ortodoncista pediátrica sugirió ponerme puyas, literalmente puyas en la boca para que dejara la fijación oral. Logré salvarme diciéndole a mi abuela la tortura china que mis padres pensaban auspiciar. Bueli estuvo sin hablarles de la rabia y la indignación una semana, hasta que los convenció. Me pusieron hasta gomas de un lado al otro de la boca para enderezarme la mordida. Mordida cruzada decían. En la escuela me apodaron "no entre" porque la goma me atravesaba del colmillo izquierdo superior hasta el colmillo derecho inferior y parecía que andaba con una señal de tráfico metida en la boca.

Él me mira con esa sonrisa de reconocimiento, como en las películas, que se hace todo borroso. La cámara enfoca sólo al actor reconocido. Así, me mira con sus ojos de mar y de aceitunas, la única mirada amable en una reunión de arpías. Me dirige suavecito, casi sin que se note, por la cintura hasta la salida.

Apenas nos asomamos, veo que mi carro es el único en el estacionamiento. Mi cerebro decide en ese momento tardío recordarme que lo había leído cuando me estacioné, que ese estacionamiento cerraba a las 11, así que el lote está cerrado con mi carro dentro. Porque por evitarme tener que pedir reembolso de la tarifa del local que costaba el doble, estacioné en un lote público que cerraba a las 11. Mi abuelo Leo se me sale por la boca y empiezo a conjugar malas palabras que ni siquiera sabía que podía pronunciar. Se me bajan las lágrimas de la rabia y él se ríe.

–Adiós, quién hubiese dicho que *wonder woman* es de carne y hueso y hasta llora.

–Con todo el respeto y el cariño que usted se merece, váyase al carajo.

–Relájate que te llevo en mi carro.

Me camina hasta su carro, una guagua Mercedes con racks en el techo, sabrá Dios para qué. Bicicletas, tablas de surfear, no tengo idea de qué hace mi jefe en su tiempo libre y creo que lo más saludable es no saberlo. Verlo trajeado con el bronceado ese de andaluz es suficiente. No quiero imaginármelo sudando, o al aire libre o en cualquier otro escenario. Necesito tenerlo encasillado, en el cubículo ese de mi mente que dice jefe, casado, con hija. Me abre la puerta y cancelo el pensamiento de que es una forma sutil de cortejarme. Paso un trabajo absurdo para treparme en su carro. Presumo que debo haberle enseñado más de la cuenta. Entre mi empeño en las faldas, la altura que me falta y la coordinación motora que nunca he tenido y ni hablar con 6 ó 7 CubaELAS que tenía encima. Tuve un novio que les decía CubaELAS, "los Cuba Libres son Ron con Coca Cola, lo tuyo es ron con Diet Coke, así que no es libre, es Estado Libre Asociado, ni una cosa ni la otra, ni Cubas, ni Libres, Ni Estados, Ni Asociados". Ni siquiera puedo tomarme un palo bien definido.

Mi jefe se monta en la guagua con toda la facilidad que a mí me falta. Todo lo hace parecer tan fácil, que me desespera. Se pone el cinturón con la izquierda, porque para acabar de fastidiarme es zurdo. Tuve un jevo pelotero que me dejó sin explicaciones y desde esa vez me instaló un fetiche extraño por los zurdos por el resto de la vida. Creo que es algo que tiene que ver con que todos los movimientos de los zurdos me parecen una proeza. Como si usaran la forma más complicada de hacer las tareas más sencillas. Como mi cerebro, que nunca ha podido memorizarse el 7x8=56, siempre multiplico primero siete por siete es igual a cuarenta y nueve, le sumo siete y me dan cincuenta y seis, o peor aún, ocho por ocho es sesenta y cuatro le resto ocho y me dan cincuenta y seis. Mi cerebro es zurdo, tiene que serlo.

Encima el carro es estándar.

–Nunca he entendido por qué la gente compra carros manuales.

–No todo tiene una razón práctica, Analía.

–Ya sé, pero es el doble de trabajo y vas a llegar al mismo sitio.

—Chica pero no es llegar al sitio...

—Ajá, es el viaje no la llegada, lo que dice todo el mundo que tiene tiempo para esas cosas.

—Exacto a veces es el viaje, no sólo la llegada o la venida. Tienes que aprender a disfrutar las cosas inconclusas.

—No tengo esa capacidad.

—Qué pena. No puedes disfrutarte esto entonces.

Entonces, suelta el cloche, prende el carro, me mira y sonríe, mueve la cabeza como diciendo que no, con una sonrisa desilusionada y arrogante, de esas de no puedo creer de lo que te estás perdiendo.

—Relájate Analía.

—Estoy relajada.

—Estás moviendo ese pie como cuando esperas en el Departamento del Estado.

—Yo siempre soy así.

—Échate para atrás, *enjoy the ride*, pareces que te vas a comer el *dash* y no me vas a dejar ver para atrás.

Me agarra la mano izquierda con su mano derecha y me la pone encima del cambio. Me la abraza con la suya y la palanca se me refugia en la palma de la mano, presionándome las líneas del destino. Lo pone en neutro y suelta el freno y cambia a primera. Siento que me tiemblan los huesos. La presión de la mano me llega hasta la cavidad torácica, me comprime los pulmones, me cierra un poco la tráquea. El aire me llega a duras penas. Me aterra pensar que él pueda sentir la aceleración de mi ritmo cardiaco en el dorso de mi zurda.

–¿Sientes eso?

–¿Qué cosa?

–Lo que te está pidiendo.

–¿Quién?

–El motor, Analía, ¿qué va'ser? El motor, te está pidiendo un cambio.

–Okei.

–La primera es corta como la vida misma, hay que ir levantando el pie mientras se va acelerando, sientes como avanza poquito a poco y hacerle caso a lo que te pide. Funciona como el cuerpo humano.

–Mi abuela siempre decía eso. El cuerpo no es bruto, si te pide chocolate por algo es.

–Exacto como el cuerpo, es súper chévere, cuando le cojas el gusto no vas a querer volver a guiar automático en tu vida. Guiar deja de ser llegar de un sitio a otro, es sentir cómo te pide revoluciones. Hay toda una mecánica chulísima detrás de cada cambio, el engranaje, el manipuleo del movimiento de las gomas.

–Le creo, por alguna extraña razón le creo.

–Porque dejaste de racionalizar. Te permitiste sentirlo.

Me vuelve a apretar la mano, tira otro cambio y en mi mente ya perdí la cuenta. Me imagino que debe ser segunda, pero no sé si el motor pide cronológicamente o es aleatorio y caprichoso como el cuerpo. Como el mío, que me está haciendo peticiones bien particulares ante cada cambio de la palanca. Estoy segura de que el cambio debe estar mojado. Me da un poco de vergüenza y la vergüenza se convierte en asco y el asco se convierte en un catalítico, y siento un sudor frío que me baja por la columna, que eriza milagrosamente cada centímetro lampiño de mi cuerpo. Él tiene la decencia de mirarme solamente de reojo y mis piernas ya no se mueven hacia arriba y hacia abajo, sino que se alejan y se acercan, abriéndome y cerrándome los muslos, inclinándome la pelvis hacia delante y hacia atrás. Yo no tengo nada que me mida mis revoluciones. No tengo un tacómetro en la entrepierna que me avise que he llegado al límite, que tengo el eje a punto de reventar, que tengo el engranaje suelto, que mi vértice sencillamente se ha encaprichado con algo más.

11

La nena ya tiene 2 semanas. Esta vez fue bien diferente. La nena cumplió término completo. Me dieron las contracciones y yo estaba en casa de mi mamá. De verdad que el cuerpo es una cosa maravillosa. Tan pronto uno pare, se le olvida el dolor, es como si Dios te diera una medicina que lo borrara por completo. Uno sabe que dolió pero es como si la vida quitara el dolor, ver la vida que sale de uno te seda. Cuando uno va a volver a parir, por lo menos cuando yo volví a parir, no tenía nada de miedo. Tan pronto me empezaron las contracciones el cuerpo se acordó y reaccionó solito. El parto fue mucho más fácil, se me hizo más corto y esta nena salió completita, rosadita, gordita, perfecta. Mi hermana se fue corriendo a la fábrica de botellas a decirle a Leo que yo había parido. Él estaba almorzando con los compañeros y le dijo: ¿ya parió? Mi hermana le dijo que sí, que se viniera con ella pa'l hospital y ella me cuenta que le dijo a toa boca, sin siquiera pararse del banco ni despegar los ojos del plato: "pa'qué si esa lo que pare son chancletas."

12

Paso por casa de mi abuela, porque sí. Quizá porque siempre estoy preocupada. A lo mejor porque sí tengo presentimientos, aunque rara vez los escucho porque hay demasiado ruido. Ruido dentro y fuera. Ruido en mi mente que corre como un maratonista 24/7, ruido en mis pulseras y en mis pantallas, siempre suena algo. Mi jefe dice que si no usara las pulseras se me olvidaría que estoy viva, que existo, que yo misma me puse un cascabel como si fuese un gato, para encontrarme, tierra llamando a Analía, las pulseras gritándome que despierte que hay un plano físico donde la gente vive y hace cosas, que no todo es lucha y olvido, que a veces hay que olvidarse de la lucha para poder luchar contra el olvido.

Hay gente que va a bibliotecas a estudiar, yo era incapaz de estudiar con tanto silencio. Me pongo a pensar en el zumbido extraño de la falta de ruido y me da con imaginarme cómo sería estar en la mente de mi abuela, si ella escuchará el zumbido del silencio golpeándose contra las paredes de su mente como una reinita que entra a una casa y no sabe cómo salir y lo que hace es chocarse contra las ventanas y los espejos y los marcos de las puertas intentando regresar al exterior. ¿Cómo será esa fuga en su cabeza? ¿Ella sentirá el escape?, como en los tanques de gas de la cocina o será un derrame menos violento casi casi imperceptible, un ladrón talentoso que sabe a qué hora se entra en la casa, dónde se guardan las cosas más valiosas y se las roba una a una aunque le tome más tiempo y se lo lleva todo sin dejar nada más, que esa nostalgia rabiosa de que te han robado todo y ni cuenta te diste.

Bueli está en el portón, agarrada, como si estuviese enjaulada y no pudiese salir. Llorando y llorando. Me tiro del carro, se me caen las llaves y el celular al piso. El celular se divide en cantos, la batería en un lado, la pantalla en otro. Yo intento recoger las cosas mientras le grito a Bueli que qué coño le pasa.

–Se murió nena, se murió.

–¿Quién se murió? ¿Una de las perras? Háblame.

De momento no sé ni cual llave es la que abre el candado. No logro abrir la puerta. Ella sólo llora y llora desconsolada. Veo las perras en la marquesina ladrando desesperadas. Me imagino que vio las malditas listas de los muertos en la nevera. Porque no se le olvida leer, eso parece que es como ser popular y católica, no se olvida ni con la enfermedad más traidora de todas.

–Jesús, Amalia, mataron a Jesús.

–Analía, Bueli, Analía, ¿quién carajo es Jesús?

–Nuestro Señor Jesucristo, mataron al Hijo de Dios nena, yo no lo puedo creer.

–Abuela, ¿de qué tú hablas?

—Las señoras, las señoras vinieron a decírmelo.

—¿Qué señoras Bueli?

—Las señoras de las sombrillas negras.

—Esas cabronas.

—No digas eso nena, me lo dijeron, que el Señor mandó a su Hijo por nosotros y lo mataron, lo mataron de una forma bien fea y que el fin del mundo se acerca.

—Bueli, el fin del mundo ha estado acercándose desde que empezó el mundo, esa gente lo que quiere es meter miedo. Dios no se muere, Dios es inmortal y la inmortalidad se hereda.

—Ay nena, qué disparatera.

—Disparatera no, si se heredan el apellido, el color de piel, las malas mañas, el mal gusto, el cáncer y el Alzheimer, la inmortalidad se tiene que heredar también. ¿Tú no crees?

—¿Qué es eso de Alzheimer, Analía, tú estás loca?

Se empezó a reír. La contestación más triste del mundo la hizo reír. Se secó las lágrimas, riéndose, y me ofreció café. Le dije que sí. Le quité el candado a la estufa, le abrí el gas, le prendí la hornilla. Dejé que me hiciera café a su manera, que me lo colara con una media, no por necesidad, sino por nostalgia de las bonitas. Hablamos como en los viejos tiempos. Me preguntó por las notas, porque me dejó estudiante en su mente para siempre. Creo que eso la ayuda a entender que esté sola y sin hijos. Me preguntó por mami, por el trabajo, me hirvió la leche, le hizo espuma a la leche meneándola a las millas con sus manitas todas tatuadas de venas, el tenedor como si fuese un *steamer* de esos carísimos, y, mientras tanto, yo le quité el papel de las muertes de la nevera y le escribí mentiras, mentiras bonitas, mentiras fáciles de leer, mentiras anacrónicas, mentiras incoherentes: a abuelo Leo le están dando un premio en los Niuyores por el ejército, Mamita está quedándose en la casa en el campo con la hermana, Amalia está de luna de miel en París; mentiras blancas, mentiras que alivian, mentiras en fin.

13

Llego a mi casa exhausta, con la mente en el carajo, con el cerebro drenado y el cuerpo todo lo contrario. Llego a casa tan y tan cansada que tengo la certeza de que no podré dormir, ni con la ayuda de todos los remedios narcóticos, caseros, orgánicos y prehistóricos recetados, robados, inventados o copiados que he podido acumular. Hay veces que el té de manzanilla no es suficiente, ni los 9 miligramos de melatonina que comenzaron siendo 3 y han subido exponencialmente ante la imposibilidad de conseguir el sueño sin un buen polvo de esos que te dejarían dormir por más de 37 horas, por aquello de los números nones. Hay veces en las que la valeriana tarda demasiado en hacer su efecto y no basta bañarse con gel para bebés con rabietas, ni perfumar las sábanas con lavanda y camomila para sentirse una menos sola.

Pongo el calentador y abro una botella de vino para matar el tiempo en cualquier cosa menos en pensar en hospitales y hogares de ancianos, en fregar la trastera o lavar una tanda de ropa que me robe el agua caliente y la presión a medio baño. Decido intentar por vez decimoquinta el intento fallido de sacar la ropa el día antes, como si la ropa no dependiera de mi humor, y como si mi humor no dependiera de las horas que logre dormir, de las locuras con las que sueñe, del clima en las mañanas, de fases lunares y ciclos menstruales.

Manipulo el agua con la regadera, un lujo obligatorio, porque siempre me ha gustado que el agua me golpee cuando me baño. Mi abuela le quitaba la boca a la ducha, decía quejándose esta nena es loca, parece que le gusta que le duela, ni que bañarse con el agua como si fuese un cántaro, feliz hubiese sido en mis tiempos. Yo tengo una regadera de 17 velocidades, que su propósito inicial fue moderar la presión porque la del edificio nunca me ha parecido suficiente, como todo.

Le echo agua a la pared, por aquello de espantarle el frío a las losetas. Alineo mi columna con el cuadriculado de la lechada. Me mojo el pelo, doblo las rodillas y tanteo la presión en los muslos, que duela un poco, que me taladre la piel, no tan rápido al principio. Corro el agua hasta las ingles y me desconecto de los papeleos rutinarios, de los turnos en las agencias. En mi mente abro las cuentas, como si me parara frente a la nevera buscando qué comer, paso lista a ver qué se me antoja, qué me estremece la nuca, qué me endurece los pezones.

De pronto se revelaban imágenes en aquellos cuadros 3D de los 90, barajeo mis amantes viejos y no tan viejos mientras hago malabares con las presiones del agua entre mis piernas. Las caderas me flaquean y me siento en el aire con las rodillas a 90 grados, los escucho susurrarme: "ay, Analía, tú sabes cuantas veces yo me la jalé pensando en ti, diciendo mi nombre, coño no se me quitan las ganas, mira las ganas que te tengo, tantos años y no se me quitan, chulería concéntrate en mi voz, no hay cosa más rica que tú, no quiero venirme primero, antes de que me tocaras ya sabía cómo tocabas, siénteme, suavecito, siente como entro y salgo, shhh calladita, tú eres como una revista pornográfica hay que verte y leerte, Analía, tienes las nalgas dibujadas, Ana, a veces parece que me lo metes tú a mí, tú siempre estás caliente Nalu". A veces mi imaginación y mi coordinación son suficientemente generosas como para poder liberarme una mano y halarme yo misma el pelo. Olvido por completo que mi pelvis se mueve sola, que mi espalda se estruja contra la pared de un baño. Aprieto más la presión del agua. Me vibra hasta la última vértebra donde la espalda se diluye. Soy incapaz de venirme quedándome calladita. A veces digo más duro, no me lo saques, métemelo por favor y en mi mente está el último en el que pienso, el que todavía no ha estado dentro, él.

Esa imagen me aterra y me trae de vuelta a la realidad. Todo el camino recorrido se retrocede, así que me salgo de la ducha sin tan siquiera secarme, goteando agua por todo el piso, sin pensar en que no tengo cortinas en las ventanas y vivo en un piso noveno de un edificio en letra L que tiene once pisos más altos que el mío. Recurro a rituales viejos y efectivos, a enviar balas locas. Escribo un mensaje genérico, se busca cómplice para beber vino, bajo la pantalla del celular por letras claves, las reinas de los nombres masculinos, la J, la A, la R. Voy viendo cómo el buzón de mensajitos se va llenando con respuestas mixtas. Salgo en media hora del trabajo, rayos qué milagro, bueno saber que estás viva, tú nunca cambias, en cuántos minutos te recojo, vives donde siempre, etc. Hasta encontrar el mensaje con el nombre ese que todavía me mueve el ombligo, como cuando te paras frente a un bufé y no sabes lo que se te antoja hasta que lo ves. Así.

Me meto a la ducha casi corriendo y me afeito como si tuviese tanto que afeitar, como si mi piel no se quejara a la menor provocación. Me pongo hormonas detrás de las orejas, sí, la trampa de las feromonas, como si no produjese suficiente. Me pongo un leotardo con toda la intención de obligarme a disimular que un mensaje de texto después de años de desconexión no es casi una súplica de que me arranques la ropa lo antes posible. Contesto un: te espero. Y él contesta un Vale. Le envío una carita con un guiño, una carita de engaño, de no me hagas preguntas, de que en el fondo no me interesa qué carajo haya pasado con tu vida ni tampoco quiero contarte de la mía, sino que quiero que me arranques por favor la ropa para dejar de pensar en que mi abuela se escapa de su propio cuerpo, para que deje de dolerme que es el antónimo de un fantasma. Su cuerpo está ahí, pero su espíritu sabrá Dios dónde. Y me duele, me duele tanto que no puedo llorarla. Me duele tanto, que no puedo quejarme, porque mi madre está histérica y alguien tiene que asumir el papel funcional.

Detesto que haya sido ella, ella la que perdiera la mente y no la otra abuela. Mi abuela se me está muriendo todos los días. Y no tengo tiempo, no tengo tiempo para ir todos los días a cocinar con ella y tomar medidas y anotar recetas e intentar hacerle cosquillas a una mujer que era inmune a ellas, que me cuente el secreto, que me diga cómo se hace el dulce ese de grosellas que vuelve cualquier postre en una exquisitez. No puedo llamarla el día antes de caer a decirle que quiero mantecado de vainilla de ese genérico con su dulce de grosellas caliente acabadito de hacer. No puedo sentarme con ella, con una grabadora a hacerle preguntas de cómo fue su juventud, de cómo fue de verdad perder su virginidad fuera del susto de ver el cuerpo feo de mi abuelo desnudo. Preguntarle si tenía orgasmos, si se venía calladita, si se sentía culpable, si alguna vez se tocó ella misma, si tenía hijos favoritos, si tenía perversiones, si había fetiches detrás de ese catolicismo férreo, si se quedó con las ganas de hacer algo, si soñaba con ir a un país que nunca fue, si le hubiese gustado ser otra cosa además de costurera y madre de hijos. Algo más. Si tenía poemas escondidos, si tuvo alguna vez un amante, un pretendiente, si alguien la enamoró mientras abuelo estaba en la guerra. No puedo preguntarle nada porque no crea memorias nuevas y confunde las viejas, apenas puede mantener el hilo de una conversación. Porque en ocasiones tiene un recuerdo nítido de sus años de niñez, pero no con la nitidez perversa de la nostalgia, como decía El Gabo, sino con la claridad de haber vivido su niñez y su adolescencia hace apenas una semana y en cambio tener el recuerdo de haberse bañado esta mañana tan obnubilado como si hubiesen pasado décadas.

Lo peor de todo es que la claridad le viene y le va. De pronto le veo los ojos fijos mirándome con total reconocimiento, persignándose ante mi repertorio de jerga de troquero, recitándome el almanaque Bristol de tepe a tepe, sumando los precios en el colmado en su cabeza como si aún no se hubiesen inventado calculadoras, me hace ir de un supermercado a otro, porque la salsa de tomate está a casi 12 centavos más barata en el otro lugar y de momento se sienta en el balcón y espera y espera a que abuelo Leo llegue. O se sienta a llorar en la cama porque le robaron sus prendas, que ella hace muchísimo tiempo regaló. Algunos días nos acusa de haberle robado sus cosas y las encontramos escondidas en sus gavetas y debajo de las alfombras. Por eso últimamente me quito la pulsera de las moneditas cuando voy a verla, porque me destruiría que me dijera que se la robé.

Me siento a esperar, a esperar sin llorar, a esperar sin tocarme. A esperar con una copa de vino en la mano, revolcándome un poco el pelo y echándome agua cuando siento que se me está secando la maranta porque por alguna razón a los jevos les encanta el pelo mojado. Pongo música y espero, espero a que me llamen de la caseta del guardia a decirme que al fin me llegó a domicilio ese polvo mágico que al menos por unas horas me va a quitar el dolor, me va a adormecer los sentidos lo suficiente como para dejar de pensar. Me van a traer a mi puerta ese polvo del pasado que me asegura que el olvido no puede conmigo. No puede ni podrá. Que sigo siendo la misma, que este cuerpo sigue conectado, que mi mente no se ha quedado con todo, que puedo sentir otras cosas que no sean miedo y ansiedad. El olvido no me ha ganado. Todavía puedo sentir.

De pronto el sofá vibra y leo: Cuál es el número. Contesto: Debería darte vergüenza: 910. Casi de inmediato me llama el guardia a decirme que tengo visita, que el señor Jorge Marrero me vino a ver. Me río sabiendo que dio un nombre falso porque está tan harto como lo estoy yo de deletrear el nombre y escuchar cómo lo destruyen y lo convierten en un nombre que no tienen nada que ver con el de uno. Llamarse George Macfie en el medio del Caribe hispanoparlante es un chiste de mal gusto. Algún abuelo irlandés le dio la maldición del nombre y el truco pendejo de *Kiss me I'm Irish* con el que yo caí. Le digo que sí, que me suena familiar. El guardia se ríe y lo escucho decir: qué habrá dicho esta.

Me entra una taquicardia terrible de momento. Corro a mi cuarto y tiro al piso las tandas de ropa limpia que no he tenido tiempo de doblar y enganchar como Dios manda, las empujo con los pies y las escondo debajo de la cama. Escucho el elevador y corro a la puerta a mirar por el ojo pero es el vecino. Regreso al cuarto y prendo un par de velas. Apago las luces. Saco el vino de la nevera, enjuago otra copa para él y se la iba a servir pero inmediatamente pensé que parecería que he pasado demasiado trabajo o que llevo demasiado tiempo esperando. Escucho el elevador de nuevo y esta vez le siguieron siete cantacitos rítmicos en la puerta. Me miré en el espejo, me arreglé un poco el delineador, me mojé las manos y me rehumedecí un poco más el pelo. Dije un "voy" suave y sereno, como si no tuviese ninguna prisa. Abrí la puerta y allí estaba, tan hermoso como lo recordaba. Esa era la mierda con Jorgito, yo lograba convencerme de que aquel hombre ya no tenía efectos en mí, que mi memoria lo había idealizado, como esas cosas que uno se come de niño y las recuerda como la cosa más maravillosa del mundo y cuando de adulto las vuelve a probar no saben tan mágicas como uno se acordaba. Pero no, la realidad es que las cosas saben igual que siempre. El que cambia es uno, las papilas gustativas que se acostumbran, los márgenes de comparación suben o se neutralizan por probar cosas nuevas y encima la melancolía le cambia el gusto a cualquier cosa.

Tenía el pelo ese de niño, que para el lado para el que uno lo peinara se quedaba estático, color rubión aceitunado, aquellos ojos medio grises, las pestañas claras, camisa de vestir azul, el nudo de la corbata medio deshecho que siempre me ha fascinado, es como el presagio del desnudo, el comienzo del fin del día y lo estoy examinando sin dejarlo entrar, sin siquiera saludarlo. Me saluda como siempre: *Hi, person*. No estoy segura cómo se supone que lo salude. Mide un pie más que yo, así que me paro en puntas. Hago el aguaje de besarle la cara, lo suficientemente lento para que me desvíe y me chupe el labio de abajo. Es el saludo de siempre, esas cosas que te hacen saber que seguimos siendo, que no nos tenemos pero nos encontramos. Nos conocemos, no podremos contar el uno con el otro en las grandes cosas, pero sí en estas otras. No disimula y me baja las manos a la espalda, me agarra las nalgas con un poco de violencia y bastante confianza, se sabe la ruta y no tiene por qué encubrir la intención.

Le pregunté si quería vino o si nos saltábamos los pasos. Se rió a carcajadas y movió la cabeza de un lado al otro y me dijo: tú no cambias. Se dobló las mangas, se soltó un poco más la corbata. Me cargó casi de un tirón, cerré los ojos y pegué un grito y ya iba casi flotando camino a mi cama.

Así ha sido desde el primer día. Desde el principio nos salía bien la risa y la cama. En nuestra primera cita terminamos hablando de las enfermedades de nuestras familias. En la suya, cáncer en la piel, problemas del corazón, diabetes, en la mía, Alzheimer, cáncer del seno, del esófago, del colon, padecimientos de la presión. Él me dijo con toda la seriedad del mundo: ¿te das cuenta de que si esto funciona, nosotros no deberíamos reproducirnos? Mis carcajadas como eran de esperarse chocaron con cada una de las esquinas del lugar.

Unos cuantos meses después de ese presagio las cosas funcionaron, pero no continuaron y me dejó sin excusas ni razones. Me gusta pensar que fue quizás por piedad a la humanidad y específicamente a nuestra progenie. Quería pensar que pensó en el bien de la especie y evitó que nos reprodujéramos. Así que decidió no quererme, no preservar nuestros genes chuecos y solamente hacer lo que nos quedaba fácil, rico y bonito: la risa y la cama.

Era cobarde, pero era buenísimo haciéndome reír y aún mejor haciéndome venir y eso era exactamente lo que necesitaba. No se necesita lo que se merece, se necesita lo que se necesita.

14

Él regresó distinto. Los anuncios decían que el ejército volvía a los muchachos hombres, hombres más fuertes, más completos, hombres que tendrían una fortaleza de carácter distinta, hombres entrenados para la supervivencia, para defender no sólo a su mujer, no sólo a su familia, a un país entero, a una nación. Un hombre que sobrevivía la guerra era un hombre que podría superarlo todo.

Desde el día que lo estábamos esperando, supe que algo había pasado. Algo, ya no estaba allí. Lo sentí en el abrazo, no me dijo Juli, como siempre, me dijo Juliana. Había un brillo en los ojos que ese día no se lo vi. Me recordaba a las cataratas de mamita. Cuando a mamita le dieron cataratas de ciertos ángulos se le veía una capita azulosa. El doctor nos explicó que podía ser o adquirida, que eso es cuando se acumulan células muertas en los ojos o que podía ser congénita, que es la que se hereda como todo lo demás. Con la luz, los ojos se le veían como de mentira, como si fuesen de cristal, como si uno pudiese tocarlos, pero no adivinarle la mirada. Corea le cambió los ojos a Leo.

Esa noche me procuró como mujer. Era de esperarse, el que se casa, casa quiere y el casa tiene, cama quiere. Esa noche fue horrible, se había pasado el día celebrando con los panas, bebiendo ron desde que llegó. A cada rato paraba de jugar domino y venía la cocina, me agarraba por la espalda y me decía, ay Julia, ay Julia, como te extrañé. Y me besaba la boca, y el sabor a ron a mí me revuelca el estómago. No me dio ni un solo beso seco, todos mojados, cada vez más mojados, mientras pasaban las horas y se acababa el ron. Hasta que cayó la noche y perdió un juego y cogió la mesa de domino y la tiró contra una pared y le dijo a los amigos: arranquen to's pal carajo que llegué de Corea y vengo a hacerle un hijo a mi mujer. Ahora sí que Juli me va a dar el macho.

Yo de verdad que no es por cuestionarle a Dios, pero de verdad que no entiendo por qué hacer muchachitos tenía que ser así. Tan bonito que se reproducen las flores y hasta los gusarapos. Pero los animales, las gallinas, los perros, cuando uno ve eso, sabe que esa pobre gallinita o esa pobre perra no la está pasando bien. Los hombres de todas las especies son salvajes, por eso no los ponen a parir, romperían a los críos con sus propias manos.

A Leo siempre le gustó empinar el codo, yo no lo culpo porque pues a los hombres le gustan esas cosas y él no tuvo papá. Además, con el genio que tiene, por lo menos una cervecita lo relaja. Pero desde que volvió de Corea, no bebe pa'relajarse, bebe como pa' morirse. Es que no puede dormir, parece que tiene pesadillas. Él no me las cuenta porque es orgulloso y duro como una piedra. Pero pa'mí que sueña con cosas bien horribles porque a mitad de noche empieza a gritar como si lo estuviesen apuñalando. Cuando lo intento levantar, está to' sudao y tiene los ojos desorbitados. Una vez se le zafó un bofetón, estaba dormido pero cuando lo toqué se asustó. De un tiempo para acá, se va al balcón, abre una botella de ron y se mece como si estuviese durmiendo a un bebé. De madrugada, voy y lo busco a regañadientes, para devolverlo a la cama. El otro día cuando lo fui a levantar, estaba que no podía pararse. Me lo eché encima. Payasa que soy, porque él pesa como cuarenta libras más que yo, bueno, pesaba, porque ahora rebaja y rebaja por más que lo engullo. Ya no le gustan ni la mitad de las cosas que le gustaban. Le ha dado con que el pimiento verde le cae mal, con que los ajíes le dan alergia, con que no hace falta usar tanto condimento para cocinar. Ni que hubiese aprendido a cocinar en Corea.

En el balcón hay una loseta que lleva meses suelta y se lo he dicho que la arregle, pero a cualquier cosa que se le pide dice que acaba de llegar de la guerra y que lo menos que quería era volver a estar haciendo boberías. Lleva más de un año diciendo eso. La cosa es que cuando fui a levantarlo, me tropecé con la contrallá loseta. Yo logré agarrarme de una columna, pero él se me cayó. Ni tan siquiera se quejó. Cayó estirado en el piso, se veía como si estuviera durmiendo más plácidamente que el resto de las noches. Yo me senté en la mecedora a mirarlo. De momento pensé que quizás era buena idea dejarlo en el piso, que le diera el sol en la cara por la mañana, y se le quemara el cachete con la cerámica caliente. A lo mejor así tocaba fondo y se daba cuenta que la guerra se quedó en Corea y su familia estaba aquí. Que si no iba a volver completo, mejor se quedara por allá. Pero rápido me di cuenta y le pedí perdón a Dios. Debería estar agradecida de que volvió vivo y no sólo vivo, sino también con todas sus extremidades. Mis hijas tienen un papá vivo y completo, de cuerpo entero por lo menos. Empecé a rezar el Salmo 23 y lo pude levantar. El Señor es mi pastor nada me faltará.

15

Odio las fiestas sorpresas. Así que me paso sentada en la barra buscándole conversación a los empleados del restaurante como pidiendo auxilio. Soy hija de dos hijos de alcohólicos, la gente que es hija de gente viciosa siempre escoge entre dos vertientes; u odiar al punto de la fobia el objeto de la adicción ancestral o abrazar el vicio como si fuese una fatalidad casi congénita. A Bueli no la llevaron, por supuesto. Eso del ruido, la gente bebiendo, la cualidad mágica que tiene el Alzheimer de quitarle a la gente la capacidad o la intención de mentir. La reducción del pudor a tábula rasa, y el riesgo terrible de que mi abuela le cante las cuarenta a medio mundo, de sacarle los trapos al sol a los invitados, o los mismos nuestros, ya no tan nuestros. Como cuando una vez empezó a mirar mal a papi, y a decir que lo había visto en la Plaza de Convalecencia con una rubia. Todo el mundo riéndose, todo el mundo riéndose menos ella y yo.

Alolita no fue, obviamente, quizás por eso nunca la vemos, los Testigos de Jehová no celebran nada de lo que celebramos los católicos, entonces nos hemos quedado sin excusas para vernos. Ni porque es el cumpleaños de su hijo. Nunca he entendido cómo abuela es de esa religión. Papi fue prematuro, está vivo de milagro, gracias a transfusiones de sangre en las que ahora mi abuela dice no creer. Creo que tiene que ver con que la amante de mi abuelo Emilio, (que se quedó siendo la amante aunque estuvo casada una decena de años con él, porque las amantes nunca ascienden, decía mi abuela, aunque un papel diga lo contrario), era del mismo tipo de sangre que papi, ese grupo de donadores universales que le pueden donar a cualquier persona, pero no pueden recibir si no es de su propio tipo. Qué sé yo, quizás saber que esa posible transfusión las igualaría en algún sentido.

Lo raro es que, en mi familia, todas las vidas parece que tenían prisa por empezar menos la mía. Yo llegué 10 días tarde. Por eso estoy pillada entre dos signos zodiacales que no se entienden entre sí. A mi madre la llamaron del hospital a decirle que avanzara y me fuera a parir. Y ella que no, que no tenía contracciones, que no tenía dolores de parto, que no había roto fuente. El doctor le decía que no le estaba preguntando, que arrancara para el hospital que ese bebé se le iba a podrir dentro. El parto duró 14 horas y media, y dicen que mami pujaba y yo me subía, dicen que el ginecólogo se le trepaba encima a mami para empujarme a nacer y yo ni para atrás ni para adelante, yo digo que sabía lo que me esperaba. Mi madre cuenta que me sacaron con fórceps y que, después de eso, conmigo todo ha sido así, una lucha.

Tengo las marcas en ambos lados de la cabeza. Dicen que nací con el pelo largo y las uñas largas, que desde que nací abrí los ojos y sonreí, cosa que era rarísima en ese entonces, y mi madre por el contrario morada, nadie la conoció cuando la pasaron por al lado de donde esperaba la familia. Fui la primera nieta de ambas familias, nací en pleno divorcio de abuelo Emilio y Alolita. Se supone que neutralizara todo pero, como siempre, me convertí en catalizador, hasta los 15 años los padres de mi padre estuvieron compitiendo por quién me hacía un regalo mejor, un peluche más grande, una muñeca más real, un sobre más lleno.

Cuando abuelo Emilio se estaba muriendo, le dio con llamar a Alolita. Que quería verla, que quería despedirse de ella. Le lloraba a papi, diciéndole que él no estaba con ella porque Alolita lo había botado. Claro, Alolita siempre me contaba que abuelo Emilio empezó a llegar con la camisa embarrá en maquillaje, oliendo a puta, decía ella. Siempre me decía que lo peor del mundo no era que te las pegaran, era que ni siquiera pasaran el trabajo de disimularlo. Alolita pensaba que un marido que te miente todavía en algo te respeta. Le dio un ultimátum cuando mami estaba encinta de mí, o dejas las andadas o nos divorciamos. Él no respondió, ni dejó las andadas. Así que un día llegó a la casa y tenía toda la ropa tirada en bolsas. Clasificadas, les escribió en *masking tape*, calzoncillos, camisillas, pantalones, camisas de trabajo, medias, corbatas, etc...

Mi abuelo, ni corto ni perezoso, se fue con la chilla. El día del divorcio, abuelo Emilio despidió en plena corte a su abogado. Se dirigió directamente al juez con el carisma clásico de un hijo de puta. Le dijo que él le iba a pagar la casa, el agua y la luz a mi abuela. El abogado le corrigió y le pidió al juez un minuto para hablar con su cliente. Emilio dijo que no tenía nada que hablar. El abogado intentó hacerlo razonar, le explicó que los hijos eran mayores de edad, que Alolita trabajaba, que no había por qué. Mi abuelo le dijo que no le estaba pidiendo opinión y lo botó, pidiendo que constara en récord y todo. Así que una vez al mes, mi abuelo Emilio llegaba a casa de Alolita, estrujado porque la esposa nueva no planchaba; borracho, porque empezó a beber más que nunca, y le daba 3 cheques, uno para el agua, uno para la casa y otro para la luz. Alolita lo saludaba cordial y lo trataba de apellido y de usted. Le abría la puerta maquillada y arreglada, flaca al fin, porque Alolita era regordeta, pequeña pero maciza, hasta que se divorció. La felicidad engorda, la tristeza te chupa, decía. Luego Emilio se casó con la otra y empezó a tener otras "otras", y Alolita en el fondo sintió que triunfó.

Sin embargo, cuando abuelo Emilio se estaba muriendo, mi abuela lo fue a ver y a ayudar a mi papá y a mis tías a recoger el apartamento donde mi abuelo vivió otra decena de años con su segunda esposa. La sorpresa fue que al abrir la alacena, podía encontrar todo con una facilidad espeluznante. La comida enlatada estaba organizada de exactamente la misma forma en que mi abuela lo había hecho toda la vida. Peor aún, compraban la misma marca de las mismas cosas, el mismo arroz, los mismos vegetales, las mismas salchichas. Dicen mis tías que Alolita lo miró todo y todo lo tiró en una bolsa negra, diciendo que lo iba a llevar a la congregación para que se lo llevaran a los hermanos más necesitados. Dicen que lo vació todo en silencio y que no fue hasta que terminó que se le escuchó decir: se casó con una versión más joven y más puta de mí, qué clase de cabrón.

Como era de esperarse, yo terminé sola en el cumpleaños sorpresa de papi, tratando de memorizarme el orden de los licores en la barra. Era un espacito con barra en el segundo piso de un local de comida criolla en el Viejo San Juan, el piso alfombrado, sólo en esta isla se nos ocurre alfombrar locales cerca del mar, es como si renegáramos el salitre, como si viviéramos en negación de que aquí es pa'vivir con escrines por los mosquitos y con las ventanas abiertas de par en par. Para entrar había que pasar por un primer piso con adultos cantando karaoke, por lo menos cumplía con que no había forma en que papi se imaginara una sorpresa en un sitio así. Se lo separaron a mami con un cheque de $100, que le devolverían una vez hubiesen 15 personas consumiendo. No hubo problema en cumplir la cuota. Mi padre, como mi abuelo, nunca ha tenido dificultad en jalar gente, el problema siempre ha sido halarlos a ellos, su poder de convocatoria es inversamente proporcional a su probabilidad presencial. Empecé a contar la gente, a pasar lista por orden alfabético. Cuando una se pasa la vida cuidando a alguien enfermo de olvido, termina una volviéndose paranoica, adoptando cuantos rituales y manías absurdas para que el olvido no te venza. Me aburro, o más bien, me distraigo y escribo todas las palabras que se me ocurren con una letra. En una servilleta de coctel empiezo: papi, pote, pato, perro, perra, panza, premio, partida, puerta, ponencia, *party*, pura, pereza, pandora, pantorrilla, panti, paciencia, postura, poco, pirámide, panza, persona, pamela, pitorro, pozo, pico, pasto, pino, pincho, pez, pezón, pito, porque, peco, poco, puta.... Por más que hice todo lo que pude para convencer a papi de decirle a mami que no iba a llegar a tiempo para su cumpleaños y que la sorprendiera después. Por más que le dije a mami que no hiciéramos un cumpleaños sorpresa, que papi está de viaje y me aterra pensar que no llegue, que ella sabe que él siempre tiene complicaciones con los vuelos, que debíamos evitar que no llegase a tiempo y se convirtiera en otra guerra que yo tenga que neutralizar. Estuve semanas tratando de convencer a mami con sus propias teorías de que aquel que intenta sorprender suele ser el sorprendido.

De pronto, mi madre me agarra por un codo y me regresa, manía que siempre ha tenido que me revuelca la sangre y me dice: Analía, Dios mío se ha colado un vagabundo. Cuando me volteo a mirarlo, el pseudo vagabundo me dice con una sonrisota: ¡Nalu!

Mi madre arresmillada me dice: ¿Y de dónde tú conoces a ese tráfala?, Y yo, sintiéndome victoriosa, le digo ese, ese es mi amigo Pito. Ay Analía, ¡tú quieres acabar conmigo!

En medio de aquél acabose, de la gente emborrachándose a nombre de mi papá que ni bebía ni llegaba, de mi madre sonriendo y mirando la entrada cada 15 minutos, aquel tráfala de guayabera y pantalones cortos, aquel vagabundo que sólo yo sabía que olía a tierra mojada y a lavanda, me abrazó y me dijo al oído: ¿cuánto me vas a pagar por el rescate?

—Ay nene, tú no tienes idea.

—¿Idea de qué?

—Se supone que sea un *surprise* para papi y ese no aparece ni por los centros.

—¿Lo llamaste?

—¡No!

—Coño Analía ¿y si le pasó algo?

—Se nota que tú no conoces a mi padre.

—Umm te explico que esta es la primera vez que me invitas a algo de tu familia, ¡yo pensaba que eras huérfana!

—¡Payaso!

—Textéale por lo menos.

Entonces veo a la mejor amiga de mi madre, halarla por el codo y decirle:

—Silvia, tú estás segura que tu marido va a venir.

—Nena, claro.

—De verdad que va a ser un papelón si no llega. Yo no sé cómo tú puedes, de verdá.

Entonces mami busca debajo de la mesa del bizcocho su cartera y la abre mientras sonríe, mientras mira a la puerta y saluda con la mano a la gente que llega, que ninguna es papi. La veo sacar su celular, la veo marcar y suspirar, colgar, marcar y respirar más hondo.

Yo saco mi celular y le escribo: papi puñeta dónde tú estás. Pito llega con dos tragos y me da uno.

–¿Don Q?

–Bacardi.

–Coño Pito tú sabes que yo lo que bebo es Don Q.

–Bueno Nalu, yo lo sé, pero aparentemente tu madre no, porque lo único que tienen es Bacardi.

Siento que me vibra la mano y leo un texto que dice: ¿Muñeca, todo bien? Con lo que odio que me diga muñeca y me responda preguntas con preguntas. Mi padre debió haber sido político.

Le escribo: "Tienes que llegar a donde mami te invitó, ahora mismo". Me contesta: "Mamita, se me complicó el vuelo". Le texteo: "no te creo, te tienen una sorpresa en Punto y Aparte. Aquí está medio mundo, si tú no llegas, va a arder Troya". Me contesta: "Llego en 15".

Mi madre andaba con dos bandejas en las manos, sonriendo, engullendo a los invitados con sándwiches de mezcla y frituritas. Me acerco a ella y le quito una de las bandejas.

–Mami, ven para que conozcas a Pito.

–Analía, no me digas que tú te estás tirando eso.

–Todavía no, mami, todavía.

Se ríe honestamente por primera vez en las cuatro horas que llevamos soplando bombas y poniendo cintas y repartiendo piscolabis y canapés.

–Me puedes explicar por qué anda con una mochila, no me digas que anda con drogas y cosas así.

–Mami, sí, es mula, tiene el bulto repleto de cocaína.

–¡ANALÍA!

–Es fotógrafo mami, fotógrafo. Si quieres, te lo presento y si no le dices 'tráfala', a lo mejor hasta te puede tomar fotos con tus amigas y a papi cuando llegue.

–¿Tú crees que llegue?

–Claro mami, ¿cómo no va a llegar?

Y como si hubiese dicho un abracadabra, escucho la voz de mi padre:

–¡SORPRESA!

Seguido por una ovación general.

Aproveché la conmoción y agarré a Pito por una mano y le dije: suelta ese palo, ya yo salvé la noche, ahora rescátame tú.

16

No me voy a casar. No me voy a casar y no me importa si me quedo a vestir santos el resto de mi vida. A mí no me pagaron la universidad. A la mitad de mis hermanas, les pagaron universidad o cursos técnicos, pero a mí no. Mamita siempre dijo que, como yo era la más linda y como siempre tuve pretendientes yo iba a conseguir marido, que para qué iba a gastar dinero en universidad, si iba terminar en la casa. Así que lo único que he hecho en mi vida es coser y cocinar. Mamita dice que eso es lo que necesito. Leo es hijo de la madrina de una de mis hermanas, primo de un primo de una prima. Es mayor que yo. No es feo, pero tampoco es guapo. Es oscurito, pero como del sol. Cuando lo conocí, lo menos que me gustó de él fueron sus ojos. Tenía los ojos como si siempre estuviese a punto de llorar. Mamita estaba loca de que yo me consiguiera un novio. Como Leo es como si fuese familia, no tuvo problemas con poder visitarme a casa y eso. Nos íbamos a casar. Hasta hoy.

Llegó a visitarme de sorpresa y yo estaba dándole una bolsa con guayabas y limones a un primo mío. Ese hombre se puso furioso y, sin hacerme una sola pregunta, tan pronto mi primo se fue, me dio una bofetá con el dorso de la mano que se me aguaron hasta los ojos, más del coraje que del dolor. Le dije que se fuera a darle en la cara a su madre. Después me dio pena porque doña Alejita en realidad siempre ha sido bien buena conmigo. Le dije que si se quería pegar un tiro que a mí me tenía sin cuidado. Dios me perdone porque el papá de él se pegó un tiro cuando él era chiquito. Yo sé que él no es malo, y es un muchacho con futuro porque está en el ejército y como dice papi, a los soldados los obligan a ser hombres de bien. Pero mi papá es militar y nunca le ha levantado una mano a Mamita. Aunque es verdad que Mamita tiene un genio y yo creo que lo mata. Papito a veces pasa semanas sin estar en casa, así que tienen menos tiempo para pelear. Tan pronto me sacudí del cantazo, se lo dije clarito, que no me iba a casar con él y ese hombre empezó a llorar, yo me metí pa' dentro de la casa y desde la ventana lo veía arrodilla'o gritando: Perdóname, Juli, perdóname, Juli por lo que más quieras, perdóname. Yo lo perdono, porque Jesús lo dijo, perdonar hasta setenta veces siete, perdono, pero no olvido, yo no me voy a casar para estar cogiendo galletas de nadie.

17

—Analía, mamita, ¿qué haces?

—Ay, mama, qué pasó ahora.

—Coño, salúdame primero.

—Hola mami, me puedes decir qué carajo pasó ahora. Yo sé que no me estás llamando a saludar. No dijiste cómo estás, dijiste qué haces. Dime de una vez qué necesitas que haga que me va dar algo.

—Tu abuela parece que se cortó o algo. No quiero que te asustes, pero hay un montón de sangre.

Tiré el teléfono en la cartera y salí corriendo del Departamento del Estado, corriendo en tacos por los adoquines del Viejo San Juan, tropezando con guardias, vagabundos y turistas. Corrí por el mismo medio de la plaza sin fijarme en toda la mierda de paloma que tanto asco me da, haciéndolas migrar de docena en docena cada vez que enterraba un taco en el piso, buscando cambio como una loca en la cartera para sacar el dichoso carro del parking.

Prendí el carro sin calentarlo, que de todas formas me parece absurdo el término en un país tan caliente. Empiezo a orar, yo, a orar, lo que no hago hace tanto tiempo, que todo esté bien, Señor, que mami esté exagerando como siempre, que nada malo pase. La mitad del Viejo San Juan está bajo construcción, en remodelación, en reparaciones como estado permanente, como yo. En la otra mitad de la ciudad, sólo se puede ir en una sola dirección, así que estoy en un dichoso laberinto de adoquines y palomas y vagabundos y gatos heridos y perros con sarna y turistas engañados y guardias sudorosos mientras quizás mi abuela se desangra. Quisiera andar en piloto automático, ese concepto que no tiene sentido en un espacio de 100 x 35 que se fue construyendo con la única estrategia de improvisar. Quiero darle un botón y que me lleven a un sitio, llegar y ya.

Cuando al fin logro salir del Viejo San Juan, absolutamente todos los semáforos están rojos. Siempre que me toca primera me los como, me los devoro aterrorizada, planificando que si la policía intenta detenerme, tendrán que seguirme hasta la casa de mi abuela y probablemente ayudarme a manejar el caos.

Quizás me tomó 17 minutos llegar a casa de mi abuela, pero me parecieron 17 días con sus noches. Llego a casa de Bueli y no hay ambulancias, al menos desde afuera la casa no huele a desgracia. Pero el portón está sin candado, las puertas del balcón abiertas de par en par. Me late el ombligo, me late como si tuviese un corazón aparte del mío. Cierro los ojos antes de cruzar el portal de madera y empiezo a recitar como Bueli me enseñó: El Señor es mi pastor nada me faltará, en

118

lugares de delicados pastos me hará yacer, junto a aguas de reposo me pastoreará, confortará mi alma, guiaráme por sendas de justicia en honor a su nombre, aunque ande en valle de lágrima de muerte no temeré mal alguno porque Tú estarás conmigo... Por lo general una sólo escucha las losetas sueltas del balcón, el crujir de la madera a cada paso, pero esta vez lo que escucho es un llanto histérico y no es el de mi abuela, a Bueli la histeria no se le da, lo de ella es el temple, la calma, la fe. Y cuando miro al piso, no se ve ni una pintita de las losetas color terrazo, todo está rojo, un rojo profundo, no como las crayolas y las tablas de colores primarios. Es un rojo purpúreo, me impresiona ver un color que nunca había visto antes. Una vez mi abuela me dijo que me pensara en un color que nunca hubiese visto y me pasé la tarde entera mirando el cielo intentando imaginarme un azul que nunca hubiese visto. Así logró callarme por horas y al final le dije que no había podido, y ella sonriendo victoriosa me dijo: Porque Papa Dios es tan perfecto que ya se inventó todos los colores posibles.

Siempre mi mente me ha podido. Intenté el yoga, mi jefe trató de convencerme para calmarme las piernas que nunca las tengo en reposo, y en la primera clase fracasé: el primer ejercicio era dejar la mente en blanco. Estaba pensando en no pensar. El paso más básico de la meditación y fui totalmente incapaz de lograrlo. Mi mente siempre está corriendo aún en el mismo medio del pandemonio. Bueli estaba sentada en el sofá y todavía le bajaban los chorros de sangre por la pierna, estaba terriblemente tranquila, mientras tanto, mi madre intentaba infructuosamente secar la sangre con un mapo y un cubo, lloraba y exprimía el mapo en el cubo con las manos, las manos ensangrentadas, el cubo repleto como si fuesen pintas y pintas de transfusiones.

–Bueli, ¿qué te pasó?

–Parece que me corté mamita.

Cuando me le acerco, me impresiona que no haya arqueado todavía. Había coágulos de sangre en los charcos, como aquella terrorífica primera menstruación donde yo juraba y perjuraba que se me estaban saliendo órganos importantes por entremedio de las piernas. Y al examinarle la pierna veo un chorrito, con presión y todo en la parte de atrás de su rodilla izquierda.

–Mama eso fue que se le cortó una venita.

En mi familia hay venas varicosas, a mi abuela por ser tan blanca es a quien más se le nota, las tiene mi madre y las tengo yo. Cuando me enojo, o cuando estoy a punto de caer, se me brotan todas, un mapa visible del tránsito de mi sangre. Me encantaría tener tiempo para broncearme las piernas, porque es un tipo de desnudez terrible que la gente pueda imaginar con tanta precisión el flujo de la vida de uno en cada paso. Halé una silla del comedor y le trepé la pierna. Le pedí a mi madre que contuviese la histeria y llamara al 911, cosa que había presumido erróneamente que había hecho hace una hora atrás. Me fui a mi carro y busqué un paquete de toallas sanitarias, siempre tengo toallas sanitarias y ropa interior en el carro porque no cuento los días de mi periodo, como tampoco cuadro mi chequera, todo dejándolo un poco en la plena confianza en el sistema, a creerle al banco, a creerle a mi cuerpo. Entré a la casa y mi abuela me sonrió, en medio de una piscina de su propia sangre, esta mujer puede sonreír.

–Te lo he dicho, Analía, que no se puede dejar sola. Maltrato es dejarla viviendo así.

–Mami, podemos hablar de esto en otro momento.

–Siempre me dices la misma mierda, Analía, eres como tu pai. Hasta que no te llega el agua al cuello no quieres meter mano.

–Mami, ahora mismo me está llegando la sangre a los tobillos y abuela no está sorda.

–Hazme el favor y sé la adulta por un momento.

Le apreté la cortadura con dos toallas sanitarias, y resultó ser pequeñita la muy puta, como un corte hecho con papel, pareciera ser inofensiva, pero el dolor es casi letal.

El dolor llega hasta cierto punto, es como un rayo, pero a la inversa, no se sabe exactamente dónde comienza, pero se sabe exactamente cuándo se llega a su punto máximo. Es como estar en un vertedero, apesta y apesta, pero llega a un punto donde no es posible que ascienda más, como la temperatura, hay un mínimo fijo de temperatura, en cierto grado, el frío llega a su máxima expresión, en cambio el calor, no tiene límite. El cuerpo soporta unos niveles de dolor y cuando ya no lo resiste más, se desmaya, como un automóvil cuando se calienta y luego se apaga sin avisar, son mecanismos de supervivencia, algunos ingeniados por Dios, otros copiados por el hombre para que las cosas, los cuerpos, las racionalidades no estallen en pedacitos. De alguna forma no nos ahogamos en nuestra propia sangre, en nuestro propio dolor.

Ya escucho el llanto de la ambulancia. Siempre me parecen gatos en celos. Mi abuela intenta pararse.

–¿Bueli, qué tú haces?

–Ay Virgen, nena, tú no oyes eso, eso es una ambulancia, le habrá pasado algo a la vecina, esa pobre señora está bien viejita y se pasa ahí sola, los hijos ni vienen a verla, sabrá Dios.

Mi madre sonriéndome con cara de te lo dije.

–Mami, puedes, por favor, quitarte la sonrisita esa pendeja de la cara y abrirle a los paramédicos.

Cuando miro a mi abuela, está mirando la sangre fijamente, como si estuviese viendo algo que yo no estoy viendo. Y yo en cuclillas tratando de capturarle la vista.

–¡Bueli mírame, Bueli, abuela!

Me pone los ojos encima, vidriosos, obnubilados, y la sonrisa esa, hermosa, como si todo estuviese bien.

–Vamos a ver ¿qué pasó aquí?

–Es que parece que se cortó .

–Con mucho respeto, no estoy hablando con usted, es con la señora, ¿cuál es su nombre?

–Juliana Matei, Vda. De Castro

Y a mí me impresiona que de pronto esté consciente de que es viuda.

–¿Y quiénes son estas dos damas?

—Mis hermanas.

Y de vuelta al olvido. Mi madre les dice a los paramédicos que Bueli tiene Alzheimer. Yo la mando a callar porque detesto decir ese nombre delante de ella, me parece terrible, mucho peor que secretear delante de un tercero, es casi como hacerle gestos obscenos a un ciego.

El paramédico la verificó y me felicitó por mi labor. Le hizo un punto de mariposa en la sutura y nos hizo llenar unos papeles. Nos dijo que, lamentablemente, tenía que informar al Departamento de la Familia porque los casos de maltrato de ancianos estaban proliferando. Que no nos asustáramos, porque era un proceso estándar, algo de rigor y que no tendríamos ningún problema. Se despidieron y se fueron por donde mismo vinieron.

—¿Ahora me crees que hay que hacerlo?

—Mami, da igual lo que yo crea.

—Podemos encontrar un buen lugar, Analía, no te cierres.

—Yo no estoy cerrada, estoy en contra, que es distinto.

—Ni tú, ni yo podemos cuidarla 24 horas. No es justo para nadie.

—Y ¿cómo carajo vamos a pagar un "hogar" mami? ¿Nos pegamos en la lotería y no me lo has   dicho?

—Vendemos la casa.

—¿Y las perras?

–Pues, mamita, las tendremos que poner a dormir.

Le di un beso en la frente a mi abuela, que continuaba mirando la sangre como si recién la estuviese descubriendo, agarré mis llaves, y me fui.

18

Yo estaba haciendo un trabajo de la escuela, sentada en la computadora que estaba en la sala de mi casa; mami había salido a darles comida a las perras de abuela, porque Bueli estaba en el hospital cuidando a abuelo Leo otra vez. Me extrañó un poco que papi no la acompañara. Papi siempre anda con mami para todos lados. Mami no sabe ni echar gasolina. A mí me da coraje con ella, le digo que cómo es posible, que una adulta que lleva tantos años guiando no sepa echar gasolina, que yo le enseño a echarle, que no puede ser ninguna ciencia, que qué se va a hacer si algún día papi no está. Y ella me responde: El día que yo aprenda a echarle gasolina al carro, tu papá se va a dejar de levantar temprano a llenarme el tanque. Aprende, Analía, a los hombres les gusta sentirse útiles, y si tú lo sabes hacer todo sin ellos, sienten que no los necesitas, se echan para atrás y se jode todo. Pensé que quizás estaba planificando algo para su cumpleaños, tal vez se había quedado para llenarle las tarjetas y eso a mami. Ella no da oportunidad para una sorprenderla, todo lo averigua, desmenuza los intentos de sorpresas a pura pregunta.

–Me acordé que ese día iban a dar los Oscares por televisión, pero nunca me acuerdo en qué canal. Así que fui al *family* y papi estaba hablando por teléfono.

–Papa, ¿con quién tú hablas?

–Con abuelo Emilio, muñeca, ¿por qué?

–Nada, olvídalo.

–Pero dime.

–No chico es que hoy son los Oscares y no me acuerdo en qué canal son, pero abuelo no va a saber.

–Ah ok, tu abuelo te manda saludos.

–Igual.

Regresé a la sala, me senté en la computadora, que estaba justo al lado del televisor, a cambiar canales con el control remoto, pero empecé a escuchar un murmullo que no tenía concordancia con las imágenes de la pantalla. Apagué el televisor y seguía escuchando voces. Me paré e intenté seguir el sonido para ver de dónde salía. Hasta que llegué a la base del teléfono. Tenía el botón del altavoz en verde, prendido. Mi reacción inmediata fue apagarlo. Pero algo dentro de mí, otra voz, quizás la de mi madre y sus sospechas infundadas me dijo que escuchara un poquito. Un chispito nada más.

– Tú sabes que yo soy la que te pongo en la línea.

–Tate quieta, muñeca.

El muñeca ese resonó, se repitió en mi mente como en un hueco, latió con eco y un sonido de niños en la parte de atrás de la conversación y un sonido de vidrios rotos en la parte de atrás de mi cabeza. Muñeca, mi papá sólo nos dice muñeca a nosotras, a Alolita, a

Mami y a mí. Y un frío me haló el ombligo como cuando un ascensor baja muchos pisos, mucho más rápido de la cuenta, como si no percibiera que tiene carga, que anda con gente dentro. Abrí la puerta del pasillo, donde empezaba el aire central de los cuartos y empujé la puerta como los vaqueros, restallándola contra la pared del cantazo, y me dio un bofetón el calentón ese de isla de un domingo por la noche, y un vacío en la cabeza, una pesadez en las piernas y una falta total de pensamiento.

—¿Con quién carajo tú hablas?

—Analía, qué te pasa?, tú no me puedes hablar malo.

—Yo te hablo como me da la gana, con quién tú hablas.

—Te dije que con tu abuelo.

—¿Quién es la puta esa?

—¿De qué tú hablas? Te voy a volar los dientes, yo soy tu papá, tú no puedes hablarme así.

—No podía, ahora puedo. ¡Qué cabrón!

Y salí corriendo y me metí en mi cama, debajo de la colcha. Abracé mi muñeca de trapo casi de la misma edad que yo. Me faltaba el aire. Parecía que las paredes del cuarto y el techo estaban tratando de aplastarme. Y me abren la puerta.

—Analía, tengo a tu abuelo en el teléfono. Habla con él.

—Yo no tengo nada que hablar con Emilio.

—Es tu abuelo, yo no sé qué tú crees que escuchaste, pero es tu abuelo. Habla con él para que veas.

–Gran cosa, si a la hora de la verdad son iguales.

–Analía, por Dios.

–Se lo voy a decir a mami, se lo voy a decir todo para que te jodas.

Se me acercó como en las mañanas, cuando entraba a mi cuarto a despertarme, siempre fue él y solo él quien me despertaba. Le temblaba la voz, tenía los ojos rojos y lacrimosos.

–No me toques. No me toques. No me toques. ¡TE DIJE QUE NO ME TOQUES!

E instantáneamente entró mi madre por la puerta.

–¿Qué carajo pasa aquí?

Papi y yo nos miramos a los ojos, por primera vez en los últimos doce minutos que parecían día y medio. Y nadie dijo nada.

–¿Te mangó verdad?

Yo me volví a tapar la cara con la colcha.

–Salte del cuarto de la nena. Salte.

–Pero...

–Fuera. Ahora.

Mami se acostó en la cama. Me sacó la colcha de encima, me quitó el pelo de la cara.

–¿Por teléfono?

Y yo pestañeaba que sí.

–¿Conoces la voz?

Y yo haciendo pucheros que no.

-No te preocupes. Yo me lo olía. Yo pensaba que era que ya no me quería. Por lo menos ahora sé que hay con quien competir.

Me dio un beso en la frente y salió del cuarto. Volvió a abrir la puerta un chin chin nada más.

-Nada de esto es tu culpa, mi amor.

No se escuchó un solo grito. No oí peleas tumultuosas, como algunas que había escuchado en ocasiones. No hubo drama. El único drama lo tuve yo. Y no pude llorar. Mordí la almohada de la rabia toda la noche. No tenía a quién llamar. Me daba vergüenza contárselo a alguien. Mis papás eran la pareja perfecta. Salían a bailar, caminaban agarrados de la mano en las tiendas. Papi le traía flores a mami a cada rato. De golpe, entendí muchas cosas locas que mami decía.

-Los hombres te traen flores por 2 razones. Algo hicieron, o algo están por hacer.

Al otro día estuve como un fantasma en los pasillos de la escuela. Le había cagado a mami su cumpleaños. Tuve todo el día un comercial de cine corriendo en mi mente una y otra vez. Salía un hombre vestido de Superman. Luego aparecía el mismo hombre vestido con chaqueta y sombrero caminando por el mismo centro del parque y le cagaba una paloma el sombrero. Entonces decía: "Para mí, mi papá siempre fue un súper héroe. Un día caminando en el parque una paloma le cagó el sombrero. Desde entonces es, sólo un hombre más." Cada vez que lo recordaba me daba un jaleo terrible, unas náuseas casi incontenibles.

A la hora de salida me vinieron a buscar mis papás, ajá, papás en plural. El carro estaba lleno de globos y había flores en el asiento. Estaban agarrados de la mano. Le di un beso a mi mamá y le dije felicidades. A papi ni lo miré.

Estuve dos semanas sin dirigirle la palabra a mi papá en lo absoluto. En casa todo siguió exactamente igual que antes, salvo mi silencio. A las dos semanas, mi mamá entró a mi cuarto, que se había convertido en el único lugar donde encontrarme.

–¿Me puedes hacer un favor?

–Claro, ma.

–Habla con tu papá.

–¿De?

–Habla con él, punto.

–¿Por?

–Porque tengo miedo de que haga una locura.

–No te entiendo.

–Yo nunca lo había visto así en la vida, Analía.

–¿Y?

–Hazlo por mí, por favor.

–Yo no lo puedo creer.

–Esto es entre él y yo. Y tú sabes que él te adora y es el mejor papá del mundo.

–No me digas.

-No te pongas cínica, Analía, vamos a llevarte a un sicólogo.

-¿Para?

-Para que puedas bregar con esta situación.

-Yo no tengo que bregar con nada.

-Hazlo por mí.

-Si tú vas primero, yo voy después.

-Ya saqué cita para todos. El miércoles te saco de la escuela temprano.

-Qué emoción.

-Gracias, mamita.

-Un placer, mami, un placer.

19

A mí me gustan los animales. Creo que es lo más
que me gusta en el mundo. Me gustan todos. A Mamita
no le gusta casi ninguno, dice que los animales son para
comer o poner. Como no le gustan, no podemos tener un
perro, ni un gato. Yo le doy migas de pan a los lagartijos
y a las iguanas. Uno les va haciendo un caminito con las
miguitas y se dejan hasta tocar. También cojo los galones
de agua y de leche, los corto y les echo azúcar, y los
nenes me ayudan a amarrarlos con alambre a los palos
del patio. Entonces, al lado, le ponemos otro más, pero
lleno de agua. Nos sentamos todos a mirar a las reinitas
comer y bañarse. Es bien chévere. Si yo pudiera sería
doctora de animales. Pero el otro día se lo dije a mamita
y me dijo que las mujeres no son doctoras, las mujeres
son enfermeras. Así que me paso jugando para practicar.
Uso las semillas de las plantas de yuca como pastillas, y
las espinas de los árboles de china y de toronjas como
inyecciones y las hojas del naranjo para darles tés. Cojo
las hojas de yagrumo como sábanas y no dejo a nadie
salir sin haberlos curado. Les pongo hojas de salvia en
la frente para bajarle la fiebre a los nenes. Mamita me
regañó y me castigó, me arrodilló en arroz a rezar un

rosario por haberle dañado el sembrado de yuca, por llevarme las semillas para jugar a las enfermeras.

Yo cuento las semillas de acuerdo con cuántos años tienen los nenes y, dependiendo el número que hacen en orden de haber nacido, les doy las semillitas para que se curen. Cuando ya están curados los premio con grosellas, Mamita nunca ha entendido por qué nos gustan más las grosellas que las acerolas, si las acerolas son más coloridas y más dulces. Es más difícil saber cuándo se maduran también, porque como se quedan verdes, a veces uno las muerde y te amarra la lengua por horas. Tenía que estar peleando con Zulma para que no me quitara las semillitas y las grosellas. Zulma era mi mascota, yo me la llevaba a todos lados y mamita decía: "la bobita se volvió loquita", pero papito la convenció de que si no me iba a dejar tener un perro, que por lo menos me dejara jugar con la dichosa gallina. Papito dice "dichosa" porque mamita no lo deja hablar malo. Dice que cuando regresa de estar fuera, viene boquisucio. Pero la última vez que papito llegó, mamita hizo un asopa'o de pollo para recibirlo. Yo no sé por qué, pero me dio mucho jaleo esa sopa. Al otro día me levanté, íbamos para casa de abuela y Zulma no aparecía. No me quise vestir hasta que no encontrara a Zulma. Mamita me decía que la buscábamos cuando llegáramos, que era una gallina, no una persona. Pero como seguí buscando y buscando, se desesperó y me dijo que nos la habíamos comido la noche antes. Nunca más voy a comer pollo en mi vida.

20

Entro al Asilo de Ancianos Santa Teresa de Jornet.
Un asilo de ancianos, que no es la misma cosa que un
hospital, que no es lo mismo que un hospicio, es un
asilo. La palabra "asilo" siempre ha significado para mí
un sitio donde va la gente que no tiene quién los cuide.
Nunca he querido tener hijos porque soy egoísta, porque
apenas he sabido ser buena amiga, sabrá Dios si buena
amante, por qué voy a dejar que una vida de un pobre
que no pidió ni nacer, esté a mi disposición, dependa de
mí, que no puedo siquiera recordar dónde dejé las llaves,
dónde estacioné el carro en un dichoso estacionamiento
multipisos porque en esta isla hay más carros que gente
(otro punto a mi favor), cómo voy a cuidar una criatura.
Y mi madre siempre me decía cuando yo decía que no
quería tener hijos (que ha sido toda la vida), que quién
me va a cuidar a mí. Ese es el círculo de vida, los padres
cuidan a sus hijos y los hijos cuidan a sus padres y aquí
estamos nosotras: asilo shopping, buscando un centro
donde un perfecto desconocido nos cuide a Bueli.
Donde una extraña le limpie la mierda a mi abuela, ajá,
a la misma abuela que me sacaba los piojos con pinzas y
los echaba en un vaso plástico lleno de alcoholado o de

Ron Palo Viejo, mientras mi madre trabajaba y la llamaba a decirle las centenas de piojos y liendres que me había sacado de la maranta. Buscamos un lugar para mejorar su calidad de vida, meterla en una casa de fantasmas, o algo peor, porque la vejez, esta vejez maldita, le arranca el espíritu de los cuerpos a la gente y te deja con lo opuesto de un fantasma, un cuerpo sin alma.

Era un edificio bien cuidado, demasiado blancuzco para mi gusto, eso sí, entraba luz por todos lados, las losetas de terrazo típicas, las ventanas Miami, ventilación cruzada. Un patio interior en el mismo centro con flores que mi abuela en sus buenos tiempos habría podido nombrar en orden alfabético. Tenían un centro de actividades, mesas de dominó, una biblioteca, un televisor grande, compartido, en el que se turnaban las telenovelas, los juegos de pelota, las noticias, la lotería y las carreras de caballo, hacían bingos los sábados a media mañana y servían café dos veces al día de acuerdo con las preferencias de los tutores del cliente.

Buscamos un sitio, limpio, higiénico, que raye en lo quirúrgico, donde traten a mi abuela de Doña, al menos frente a nosotros, donde tengamos horarios de visita y nos la tengan recortada, bañada y olorosa a Jean Naté cuando vengamos a buscarla, hasta se llenaron la boca diciéndonos que los disfrazan en Halloween y se la pasan fenomenal. Con lo que mi abuela odiaba los circos y los carnavales y los disfraces y los revoluces y los desconocidos.

La señora, encargada del sitio, una mujer con cara noble, cincuentona, sin aro de matrimonio, vestida de colores pasteles con perlas en las orejas, se llamaba Esperanza y yo no pude contener la risa cuando nos dijo el nombre, no le creí. Me explicó que les dan una dieta balanceada, con todos los grupos de alimentos, de acuerdo con las necesidades calóricas del paciente. Sí, porque para algunas cosas son huéspedes, para otras cosas son pacientes y para otras, meros clientes. Vaya usted a saber. Obviamente, porciones medidas. ¿Y si mi abuela quiere más? ¿Y si le sirven remolacha, de la que ella tanto detesta porque le mancha el arroz de fuscia? Mi abuela va a vivir de las tres "P"s: pollo, pavo y pescado, legumbres y viandas, pero le dan arroz los viernes. La misma exquisita variedad de comida con la que vivió sus últimos 20 años, porque es sobreviviente del cáncer del colon y todo lo hacía por el libro. No causarles líos a los demás, no ser carga de nadie. No pasarse ni cuatro días antes del sábado en el purgatorio. Porque Dios prueba a sus favoritos decía Bueli, así resolvía todos mis cuestionamientos de fe. Y cuando insistía, me decía que estar cuestionando a Dios era pecado, que dejara de ser tan piquito dulce.

Me explicaron que el edificio se dividía en dos alas, el ala derecha era para las damas y el ala izquierda para los caballeros. Me pareció la cosa más extraña del mundo, y me explicaron los fundamentos religiosos y que era una institución que había sido fundada (valga la redundancia, porque las redundancias son los pilares de estos sitios) con unos principios católicos ortodoxos. Sonreí pensando que era la primera cosa que Bueli hubiese celebrado de aquel lugar. Ella había asumido su viudez con mayor dignidad, (entiéndase dignidad como eufemismo para felicidad) que cualquier otro rol en el mundo.

Veo a lo lejos de aquel pasillo kilométrico una viejita que venía del lado derecho (obviamente) del edificio, vestida en colores pasteles, porque en aquel lugar ningún color se salía de la paleta de colores del día de Pascua. Se me acercó y me decía: -Ay, Elenita, qué mucho te tardaste en visitarme esta vez nena, mira, diles que me dejen de dar avena, que la avena es para los estreñidos-, me tocaba la cara, con los ojos mirando Dios sabe a dónde -qué linda te has puesto, que bonito te queda este color de pelo, ay, nena, sácame de aquí ya, que aquí mezclan a los viejos con los locos y no somos la misma cosa-. Llegó una enfermera, con su uniformito de conejos y patitos diciéndole, "venga, Doña Elena, que le toca la siesta". No pude evitar mirar el reloj; las diez y media de la mañana.

A la misma hora que me ponían a dormir en kínder. No fui a Pre-Kinder, mi madre me preguntó si prefería ir a la escuelita a aprender cosas nuevas, o quedarme en casa con Bueli viendo novelas. Contesté lo obvio y vi todas las novelas venezolanas y mexicanas que pasaron en los canales locales, y nunca jamás cogí siestas, porque mi abuela decía que dormir era para los vagos y los muertos.

Veo ese asilo tan feo, tan lleno de años, de familias ausentes, de hijos que se fueron lo más lejos posible y pagan con depósito directo el mantenimiento de sus viejos, donde lo más vivo son las orquídeas en las salas de estar y están tan rodeadas de muerte y de olvido, que hay que pegárseles, mutilarles una hoja para creerlas vivas, meterle el dedo en las raíces, buscar la humedad perdida, recordar las rosas del patio de mi abuela, las rosas que Bueli sembró a nombre de su hija muerta, las cruz de Malta a nombre de su madre muerta, el palo de limón de su marido muerto, el árbol de grosellas de su cáncer vencido, recordarla mentando todos los nombres de las flores y los arbustos y pensar que ahora se conformaría con esas orquídeas que las sustituyen cada cierto tiempo para que siempre estén prendidas, como diría mi abuela, en vez de hablarles a las matas. Allí tienen alguien que las cambia para que siempre hayan flores, como si eso tuviese el mismo efecto, la misma magia, el mismo apremio. Comencé a sentirme mareada en aquellos pasillos inmensos, en la pulcritud perteneciente a museos, a reliquias, a cosas que se miran pero no se tocan, ascos que se saben pero no se sienten, culpas que se limpian con planes médicos más completos y habitaciones con baño y televisor privado, igual de solas pero mejor amuebladas.

Yo intentaba salir de los pasillos, sintiéndome ratón de laboratorio en laberinto, con tantos pasillos iguales y sin señales claras de dónde estaban las salidas,

salidas de emergencia porque en un asilo de ancianos, todas las salidas son de emergencia.

Logré llegar a mi carro, pero no encontraba las llaves porque uso carteras gigantes y siempre las tengo que tener combinadas, y luego tengo una docena de carteras en el carro porque las cambio en las mañanas y siguen quedando remanentes en cada una de ellas, delineador de ojos, condones, menudo, tarjeta de crédito, recibos, facturas, pastillas, pinzas, sacapuntas que vuelvo a comprar semanalmente, porque los pierdo en la cadena perpetua de carteras de colores y termino de cuclillas al lado de la goma del carro, me ensucio la falda blanca con la tierra, rebusco la cartera y al fin las encuentro en un bolsillo de esos que se camuflajean de sus propios dueños. Logro montarme en el carro y siento los ojos al borde del agua, el pecho apretado presumiendo que así se sienten los ataques de asma, los pequeños infartos, las reacciones alérgicas a los mariscos, los ataques de pánico que nunca le creo a mi madre, una imposibilidad de respirar como si uno se estuviese ahogando en el fondo del mar, pero no, estoy en un sedán de siete años con un acondicionador de aire perfectamente funcional.

Intento prender la radio y ponerla a cambiar solita, *scan, scan, scan,* y saltan las voces de predicadores evangélicos, voces de oradores políticos, voces de ex misses de concursos de belleza que, por alguna extraña razón, en este país las ponen a ser locutoras de radio, como si uno les viese las hermosas caras de imbéciles mientras recitan cuentos de *Sopa de Pollo para el Alma* con el mismo ímpetu que si recitasen poesía. Y rendirme, perderle la fe a la radio como poco a poco le he ido perdiendo no sólo la fe sino también el respeto a casi todas las cosas de este país. Busco entre los discos que tengo dentro al azar, sin tener la menor idea, porque a veces paso días con el radio en *scan* de un lugar a otro sin darme cuenta hasta que me vuelvo a montar. Hay bachata puesta o salsa gorda antes de que sean las nueve de la mañana, le doy *play* y sale Juan Gabriel, -hasta que te conocí, vi la vida con dolor, no te miento fui feliz, aunque con muy poco amor- lo cambio, le huyo a la letra despavoridamente y sale Sinatra, y ya no sé si estoy intentando animarme o no pensar o lograr finalmente llorar, pero ninguna canción me provoca, sino que me empieza a picar el pecho. Se me llena de manchitas rojas como si me hubiese revolcado con un hombre con barba. Lo cambio y sigo viendo gente entrar y salir al puto asilo. No puedo moverme porque no me creo capaz. Me siento tan asquerosamente culpable, que no creo que pueda conducir un vehículo de motor como si la culpa tuviese un alto contenido de alcohol por volumen. Cambio de nuevo el disco y está Serrat gritándome que hoy puede ser un buen día y yo lo dudo, profundamente lo dudo. Lo vuelvo a cambiar y el golpe es inminente: de sobra sabes que eres la primera, que no miento si juro que daría por ti la vida entera, por ti la vida entera y mami me llama para saber que tal vi el lugar, que si me pareció bonito y yo dándole ignore, dándole ignore, repasando los textos perdidos, y uno de ellos es papi diciéndome que se le retrasó el vuelo otra vez, tiene la peor suerte del mundo con los horarios y los aviones, te engañaría con cualquiera, yo, te engañaría con cualquiera.

Entra un texto de mi jefe preguntándome por unos papeles, por respuestas a correos electrónicos, por reuniones pospuestas. Mis dedos le contestaron: necesito hablar.

Al segundo, como si tuviese el celular en las manos recibo un: Ven a la oficina.

Mis dedos escribieron: No, en la oficina no.

Quizás la culpa funciona como una variación del dolor. El típico chiste de que si te duele algo te martillees un dedo y olvides el dolor principal. Es un dolor de esos de resaca, que a veces la única forma de neutralizarlo es tomarse una cerveza más.

Mi jefe me contestó: –¿tienes hambre?–. Y como diría mi abuela, el diablo le contestó:–de esa no–.

No se había terminado de llenar la barrita de envío y ya me había llegado un: –¿te acuerdas de cómo llegar a casa de mami?–

Cierro los ojos, intento buscar una ruta, trato de trazar un mapa, porque no puedo llamar a nadie a preguntarle cómo llegar a una urbanización de gente rica a una hora como esta, sin que haya preguntas. Sigo buscando rescatar una ocasión lejana donde alguna vez interrumpí un almuerzo familiar para que mi jefe saliera, con las mangas dobladitas a firmarme unos contratos y la cara con una manchita de asopa'o en la esquinita de la boca. Yo me reí y lo limpié con mi mano izquierda, como una reacción involuntaria. Mi madre siempre ha dicho que cuando ella ve una pareja, sabe si se acuestan o no. Que la forma en que un hombre y una mujer se tocan en público (los detalles no sexuales, el acomodarle el pelo, limpiarle el ojo, anunciarle la pimienta encajada en un colmillo), es un grito a voces de que uno ha estado dentro del otro. En esa ocasión, mi madre hubiese fallado miserablemente. Lo nuestro siempre había sido una ficción jurídica.

–Lo veo allí–, escribí sin puntos finales ni caritas que alivianaran la proposición.

Me estacioné frente a un supermercado a dos calles de la casa, a petición textual de mi jefe. Las plataformas tambaleaban en cada línea que dividía las aceras, pasaban absurdamente demasiados carros a esa hora en una urbanización de gente adinerada, donde sólo viven viejos. Yo en pleno *walk of shame* antes de un polvo a plena luz del día. Lo vi caminando de lejos, mirando para todos lados y de pronto tuve la certeza de que él nunca había hecho algo como esto antes. Y lo peor de todo es que eso me dio una profunda y culpable satisfacción. Yo era la puta más puta de las putas. Me saludó casi igual que siempre, pero extendiendo el medio abrazo y preguntándome en perfecta sincronía si estaba bien. Le dije que sí. Me dejó pasar frente a él como hacía siempre, como si caminásemos a otra de tantas reuniones, de tantas visitas a agencias de gobierno, a tantos almuerzos líquidos, dejándome guiarlo como siempre, como si yo supiese la ruta que me estaba acabando de inventar o quizá no. El más fuerte de los comandos fue tan sólo un leve impulsito en el comienzo de la espalda baja, una indicación corporal casi profesional, como si me guiara sutilmente a una vuelta de una salsa cualquiera.

En el portal de aquella casona, rebuscaba entre las llaves como un conserje de escuela, le notaba el sutil temblor en las manos al hombre más impecable que había conocido en la vida. Me provocó algo que intenté clasificar como ternura el verlo torpe por vez primera en dos años y medio. Cuando logró finalmente abrir las tres cerraduras, empujó la puerta con el lado derecho del cuerpo y me sonrió por primera vez en aquellos larguísimos cuatro o siete minutos que llevábamos intentando entrar a la mansión de cuando él tendría menos años que los que yo tengo ahora. La casa sonó como si se descorchara mal un vino, el tono ese de burbuja rota, de pote lleno de aire.

Él me volvió a empujar para que caminara yo primero, dejándome pasar, tan caballero él siempre y yo trataba de dividirme entre las ganas que me tenían con el aire entrecortado, como jadeando por dentro, el susto de que alguien llegara y la voz de mi abuela diciendo Ave María Purísima. Intenté ignorar los cuadros de la esposa, de los hijos, uno de la boda, la matriarca sonriente, aquella casa tan ofensivamente grande, tan ridículamente lujosa, los pisos tan blancos, la madera tan oscura, todo tan lleno de antigüedades. Parecía que la madre de mi jefe le tenía un terror al vacío y llenaba el espacio como si pudiese caerse por algún rincón de la casa que no estuviese lleno de cosas. Él me agarró la cara y alineó mi barbilla con la suya, con esos ojos tan de agua, tan de aceitunas que jamás comería en cualquier otra circunstancia. Me volvió a preguntar si estaba bien, si necesitaba hablar. Yo le besé la cara, desde el cachete habitual hasta acercármele a la boca como habíamos hecho tantísimas veces en copas de viernes o en despedidas antes de sus viajes. Le mordí el labio y aquellos ojos que encerraban todo el mundo que yo me había perdido parecían que se le iban a salir. Yo no pude evitar carcajear como único sé; como bruja. Él me metió los dedos entre el pelo y me volvió a halar hacia él. Me besó suave, suave, como si tuviésemos todo el tiempo del mundo, como se besa la gente que cree que se quiere. Me agarró la cara como si yo necesitara dulzura y yo queriendo que me rompiera la ropa encima. Le metí las manos en los bolsillos traseros del pantalón, le agarré las nalgas y le halé el cuerpo hacia mí, sobre mí, dentro de mí. Le agarré las manos, se las metí por dentro de mi falda, de mi falda blanca y llena de tierra de parking de asilo, me le pegué a la oreja y le dije -por favor-. Él se río y me guió hasta su cuarto, esta vez con las dos manos, sus dos manos, agarrándome la cintura por debajo de la camisa. Quizás fue un espejismo de mi conciencia comatosa, pero juraría que pude sentir el aro de su mano izquierda como un carimbo frío en mi espalda. Él me sacudió esa idea abriendo la puerta de un cuarto, el cuarto de adolescente de mi jefe, con sus medallas y sus diplomas y sus fotos con pelo largo. Fuimos dando bandazos como si fuese un baile que hubiésemos bailado antes y lo estuviésemos mezclando con una carrera de obstáculos por puro entretenimiento.

Me tiré a la cama, me alcé la falda, me chupé un dedo, me mordí los labios, me mojé los otros, él se desanudó la corbata azul cielo, siempre azul, se abrió un par de botones, quizás tres, puso sus manos a los lados de mis hombros, sus rodillas a ambos lados de mis caderas, y empezó a mordisquearme la clavícula, a chuparme de pulgada en pulgada el cuello, hasta detrás de la oreja. Lo despeiné mientras él me preguntaba de nuevo en el oído si estaba bien. Lo halé hacia mí abrazándole la espalda con mis piernas. Él me cayó encima, con todo el peso de sus años, probablemente quince, sino el doble de los míos, nunca tuve la certeza. Sentí ese peso que hunde a uno y le pilla los pensamientos, ese peso de hombre entero que refugia, que cubre, que marea y eriza a una enseguida. Lo ayudé con la camisa, cuando vine a ver, ya tenía los pantalones en los tobillos. Se los quité con mis pies, porque los pantalones en los tobillos me traen a la mente imágenes de violaciones de películas que me destruyen la inspiración. Empecé a besuquearlo, a guiarlo para que se me metiera dentro, a morderlo con un poco de rabia hasta sentir el alivio momentáneo de la entrada, a luchar por respirar porque de pronto el cuarto se había quedado sin aire. Todo era oxígeno caliente, jadeos ahogados, intentos de pronunciar aquellos nombres que no nos decíamos en la oficina. No eran los diálogos repetidos de los amantes casuales,

146

eran confesiones involuntarias. Nos dijimos cómo nos habíamos imaginado el destrozarnos en la cocina de la oficina, chuparnos hasta el vivir en la sala de espera, encaramarnos en cuanto escritorio estuviese a nuestra disposición, arrancarnos la ropa entre el lobby y el piso 22. Casi sin poder controlarlo, empecé a apretarle la espalda con mis garras halándolo con toda mi fuerza hacia mí, más adentro, lo más profundo, rogándole que me rompiera la columna. Me dijo bajito, "Analía no puedes marcarme", y ese "no puedes marcarme" fue como meterme a su mujer entre su cuero y mi carne.

21

Hoy mamita estaba de mal humor. Le pasa casi siempre que papito se va por semanas. Como es del ejército, lo mandan a buscar. Esas semanas les digo a toditos que se mantengan callados. Que traten de no correr en la casa, que se coman toda la comida, que no pregunten qué hay para comer, que bajen la cabeza cuando los regañen, que hagan las asignaciones rápido y que se acuesten a dormir temprano. Pero casi nunca me hacen caso, y siempre terminamos pagando juntos por pecadores. Hoy me la llevé yo. Mamita estaba planchando las camisas de papito para que, cuando regrese, lo tenga todo planchado y almidonado como a él le gusta. Hoy se me ocurrió preguntarle si le gustaba planchar. Mamita me dijo que en la vida uno no hace lo que le gusta, que uno hace lo que le toca, que por qué preguntaba. Yo le dije que como ella siempre estaba planchando y la ropa le quedaba tan bonita, pues pensé que era porque le gustaba. Yo no sé qué le pasó.

Se puso fúrica, me dijo que a quién carajo le iba a gustar estar echando almidón y planchando en un cuarto casi sin ventanas, que la plancha botaba un calor horrible y que nosotros gritando y haciéndole perder el tiempo lo hacíamos peor. Le pregunté que si la plancha estaba caliente. Y me dijo que de verdad que yo era boba, que por qué preguntaba. Le dije que porque quería saber. Me dijo que me acercara donde ella. Entonces me pegó la plancha en el brazo izquierdo, justo donde va la correa del reloj. Yo me quedé boba. Me dolió un montón, pero no dije ni ji. Me fui al baño y me eché agua fría. Me pidió que le sirviera sopa a los nenes, porque como no está papito, los nenes son los que comen primero. Cada vez que acerco el brazo al caldero, me arde como si me acabaran de pegar la plancha de nuevo. Estoy loca que papito vuelva.

22

–Se murió Analía, se murió.

–Ay, mami, no me jodas, ¿se murió quién? No me digas que le pasó algo a Bueli.

–¡Nena no!

–Se murió Raúl, y ya tú sabes que tengo que llevar a mami a la iglesia. A ver cómo amaneció hoy, Dios quiera que esté clara, porque si no allí se va a formar un revolú.

–¿Un revolú por qué?

–Nena tú sabes como es la familia de mami, y las hermanas ni saben cómo ella está y como nunca se han ocupado, van a querer venir a cuestionarme cosas y a dar consejos y yo de verdad que no quiero bregar con nada de eso.

–Pues, mami, no la lleves, que se joda, si ella no se va a enterar como quiera.

–Pero tú sabes que ella lo quería tanto y la gente va a preguntar, van a pensar que la tenemos en malas condiciones, que la estamos escondiendo...

–Okei, mami, ¿qué exactamente tú quieres que yo haga?

–Ay, nena de verdad que contigo ya no se puede ni hablar, hay que tratarte con pañitos tibios porque si no, te pones de un humorcito...

–Mama, de verdad que estoy bien bien ajorada en el trabajo. ¿Qué tú necesitas de mí? ¿Se murió hoy? ¿Dónde lo van a velar?

–No chica se murió en el wikén, pero ya tú sabes que a ellos no les gusta anunciar nada y no, no lo van a velar, lo van a cremar porque, imagínate, se metió tanta droga que de seguro ese cadáver no hay maquillaje que lo haga presentable.

–Mami, estás hablando de un muerto por Dios. ¿Cuándo es la condená misa entonces?

–Analía, cómo carajo le vas a decir condená a una misa, ¡si te coge tu abuela!

–¡MAMI, LA MISA!

–A las siete en Corazón de María, ¿vas a ir?

–Sí, mami.

–No llegues tarde.

–Déjame ver qué hago.

Raúl era el ahijado de Bueli, un primo segundo de mi madre. Fue profesor universitario, mami dice que era guapísimo y el más brillante de la familia. Aunque en realidad cualquiera que tenga un grado universitario en mi familia se gana con el diploma el epíteto de brillante, independientemente si es con honores o raspa cum laude. Como era artista, palabras textuales de mi madre, empezó a meterse pasto y de pasto pues pasó a perico y de perico pues a inyectarse heroína. Nunca supe qué pasó exactamente, y las miles de pequeñas tragedias y grandes decisiones que habrá habido en el intermedio de cada una de las drogas de su predilección. Siempre pensé que era la forma sucinta de mi madre lograr que creciera con pánico a la marihuana. Tengo una vaga imagen de él cuando era joven, pero la foto con la que lo tengo archivado es ya jodido pidiendo chavos en una luz. La realidad es que guardamos a la gente en los récords de nuestra cabeza en una fecha específica, con una edad fija y a veces hasta con una ropa en particular, a él lo recuerdo con una guayabera *peach* repercutida y unos pantalones marrones, pidiendo chavos a dos luces de casa de mi abuela. Los celulares sólo han imitado las formas básicas de archivo de información de nuestros cerebros cuando aún funcionan.

Cuando andábamos con Bueli, bajábamos el cristal, mi abuela le daba dinero y le echaba una bendición. Cuando andábamos mami y yo solas, mami bajaba el cristal y lo ponía nuevo.

–Vergüenza, te debería dar, vergüenza, con dos piernas y dos brazos pidiéndole chavos a una mujer. Búscate un trabajo en vez de andar mendigándoles dinero a otros. SIDA ni SIDA, atrevido.

Bueli decía que por tanto estar diciendo que tenía SIDA, le dio SIDA de verdad, castigo de Dios por blasfemo. Se consiguió una silla de ruedas y se estacionaba detrás de un McDonalds. Estaba todo el día con un cartelito frente al semáforo que decía con ortografía perfecta: "Me llamo Raúl y soy paciente de

SIDA. No estoy aquí porque quiero, estoy aquí porque estoy enfermo. Creo en Dios y no quiero robar." Cuando pasaba la hora del tapón, después de las seis, seis y media, con sus dos piernas buenas y sanas y sus dos brazos funcionales, se paraba de la silla de rueda, la doblaba, y la metía en el baúl de su carro y seguía por ahí como habiendo terminado el turno de oficina regular de 9 a 6.

Cuando mi tía Amalia se murió, Raúl fue casa por casa, recolectando dinero entre los vecinos de Bueli para mandarle una corona a nombre de la comunidad. Al llegar a la funeraria, los vecinos, iban llegando uno por uno a donde Bueli a decirle, oye qué raro, no veo la corona de nosotros. A algunos les prometió lirios cala, a otros lirios casablanca, a otros hortensias, rosas, azaleas, tulipanes o margaritas, porque el tipo sería tecato, pero sabía de todo. Bueli decía, solemne, quizás hubo una confusión en la entrega, Amalia es un nombre bastante común. Mi madre le repostaba furiosa: Común ni común, mami, el ahijado tuyo que se metió los lirios calas, los Casablanca, las hortensias, las rosas, las azaleas, los tulipanes y las margaritas por ojo, boca, vena y nariz.

A Bueli le rompía el alma. Decía que estaba enfermo, el pobre. Que nadie lo supo querer cuando crecía, que era diferente y que la familia lo echó a la calle. Que todo el mundo estaba a ley de una mala decisión para terminar ahí. A mi abuela la compasión se le daba fácil, la pena era un reflejo casi automático. No le cogió coraje ni cuando hizo esa porquería en el funeral de su hija. Mi abuela contuvo el temple hasta ese día. Repetía una y otra vez: no quiero ver a nadie llorando, ella está con Dios y descansa en paz. Su aceptación ante la muerte era más preocupante que admirable. Todas sus hermanas y hasta mami y papi pensaban que era parte del *shock* y que, en cualquier momento, iba a colapsar. Cuentan que mi abuelo Leo, en cambio, gritaba por la calle de un lado a otro, ay, la nena, mi nena, se me murió mi nena, me quitaron la nena, me quiero morir, se me murió la nena. Por eso Bueli le prohibió a todo el mundo que le contaran a abuelo Leo lo que había hecho Raúl. Decía que lo mataba, que como no tenía fe lo que sentía era coraje. Con todo, quería desquitarse, con Dios, con la vida misma, con lo que fuera, y Raúl hubiese sido lo que abuelo Leo estaba buscando.

Yo, contrario a mi madre, rezaba porque Bueli hubiese amanecido confusa, enredada, más ausente que nunca, porque Bueli no lloraba, ni siquiera con el olvido, y lo que hacía era gritar, hacer pucheros sin que le bajara una sola lágrima, como los bebés, que parecen peces que se ahogan porque no les llega el aire y aún así no les sale agua por los ojos.

—Bueli, ¿cómo estás?

—Ay nena preocupada.

—¿Por qué mi amor?

—Es que me llamó tu mamá y alguien más... este... Amalia, no, no... esta nena, ay ¿cómo se llama? Ay Dios, nena se me escapa el nombre.

—No te apures, cuéntame lo que pasó que horita te acuerdas de quién fue, eso le pasa a todo el mundo.

—Pues tu mamá me llamó y se oía mal, como nerviosa y me dijo que me vistiera para ir a la iglesia, yo creo que le pasó algo y no me lo quiere decir. Tú sabes que esa muchacha es más cerrá que una ostra.

—Ay Bueli, no te preocupes por ella, si ella se preocupa por las tres, vístete, ¿ella te va a buscar?

—Eso me dijo.

—Dale vístete y nos vemos allí.

La maldita manía de no decir nada. Como si darle largas a las malas noticias las diluyera, las hiciera menos duras. Como si no nombrar las cosas las hiciera menos ciertas, menos reales.

Respiro y vuelvo a respirar, y recito el alfabeto de la Z hasta la A, como le hacen a los borrachos. Me funciona mejor que contar, tengo que concentrarme y casi siempre termino riéndome, pensando en que cómo rayos un borracho podría recitar el alfabeto al revés si uno sobrio no puede hacerlo.

Marco los nueve números, aunque tenga el teléfono de mi madre en *speed dial*. El aparato me pone en *speed dial* los números con los que me comunico más, un poco como recordándome cuáles son las relaciones que más tiempo me consumen y que, me guste o no, tienen carácter de prioridad.

—Mama...

—Dime nena.

—Tú no piensas decirle a Bueli que Raúl se murió.

–Ay Analía, ¿pa' qué?

–Bueno, ¿será para que no le dé un ataque cuando llegue allí y vea que la gente está llorando alrededor de un pote con un polvito de lo que era Raúl?

–A la verdad que tú eres bien cruel, Analía.

–Mami, jelou, cruel estás siendo tú, que no le vas decir nada y ella se va a dar cuenta que alguien se murió cuando vea la urna y todo el mundo de luto.

–Como tú dices, a lo mejor no se da ni cuenta. A menos que la quieras buscar y se lo dices tú.

–Que coj... Mami, te veo allí.

–¿Allí dónde?

–En la iglesia.

Mi madre me hace cuestionarme constantemente por qué no fumo. Viro en U de vuelta a mi casa y, en el primer semáforo que se compadece en rojo, texteo: "¿Está ocupado?"

Veo el sobrecito viajar en mi pantalla como si fuese una carta de las honestas y casi instantáneamente recibo un: "¿Qué tienes en mente?" "Poca ropa y mucho ron."

–Analía, ¿estás bien?

–No mucho, ¿hay alguien en casa de su mamá?

–No, no hay nadie, pero, ¿no prefieres en tu apartamento?

–No, es que a las 7 tengo que estar en un sitio cerca de la urbanización de su mamá.

–¿Necesitas que lleve algo?

–No, a usted.

–Y dale con el usted, ¿te veo en 15?

–En 20.

Una de las ventajas de ser lampiña es que uno no necesita grandes protocolos o rituales para desnudarse. Llegué a mi apartamento, cogí un traje de gaza blanca, porque mi abuela siempre ha dicho que el luto es para los viejos y las viudas. Le salpiqué agua del fregadero y lo metí en la secadora. No, no sé planchar, nunca he sabido y nunca sabré, no tengo tiempo para dormir, sería una ofensa a la falta del tiempo y de sueño del mundo ponerme a planchar. Me baño a las millas, apenas me seco, me exprimo la maranta como si fuese un mapo. Me sacudo el agua del cuerpo con la toalla, abro la secadora y me tiro el traje en encima, no me pongo ropa interior, me vuelvo a poner mis pulseras 1, 2, 3, 4, 5, 6 en la derecha y en la izquierda la de las moneditas. Pantallas largas sin collar, por alguna razón nunca llevo nada colgando del cuello.

En menos de 3 minutos estoy en una farmacia, Dios bendiga a los que se les ocurrió que en las farmacias puede haber alcohol, cojo un litro de Don Q, un padrino de Diet Coke y un potecito de zumo de limón de mentira. Busco con desespero la góndola de los condones. Siempre me extraña y me araña que una cadena gringa que pone 7 locales por pueblo no tenga un plano estándar del orden en el que deben estar todas las góndolas en todos sus establecimientos. Paso una y otra vez por el pasillo de las toallas sanitarias, de los productos de primera necesidad, los algodones, las curitas, sigo buscando las cajitas de colores como se pescan palabras en una sopa de letras. Al fin los localizo, en el mismo pasillo de las pruebas de embarazo, tiene algo de lógica, quizá un origen didáctico, si no compras condones, compra pruebas de embarazo, y luego le siguen los aparatitos esos para calcular el ciclo de ovulación para aquellas que sí confían en sus cuerpos como relojitos suizos y se quieren preñar. Paso por el momento ese morboso de mirar de lejos los condones, localizarlos a distancia porque parece que estas cadenas gringas no sólo son incapaces de ponerse de acuerdo para que una pueda localizar los condones en una misma góndola, siempre los ponen al final del pasillo para que la gente vea a uno atónito estudiando las marcas y variedades de látex en cajitas.

Por eso uno compra siempre la misma marca de condón, porque educas a los ojos a localizarlos, no te vas a poner a leer cajitas, mientras viejitas compran detergentes y niños halan las faldas de sus madres pidiéndoles dulces y una comparando si los compra con nonoxinol nueve, de un grosor casi inexistente, casi como la piel, comprar un tamaño estándar o subir las expectativas, ni hablar de precios porque los números suelen confundirse con la prisa y los datos.

Y cuando al fin logro superar el reto y tengo la cajita y la escondo debajo del *shopper*, viene ese horrible momento de buscar cajero. Preferiblemente cajera, aunque sea la fila más larga y el inevitable: próximo, puede pagar por aquí, y me toca siempre un hombre. Un hombre que intenta disimular el morbo inevitable que le produce ver a una mujer sola comprando una caja de condones a plena luz del día.

Intento sostenerle la mirada, actuar como si nada, da igual si compro papel toalla, toallas sanitarias, tampones o condones, ese es su trabajo, cobrar y ponerlo todo en bolsitas, darme las buenas tardes y ofrecerme un sellito para cooperar con la Distrofia Muscular. Y hasta puedo sentir en el "gracias, que pase buenas tardes", una pronunciación burlona, ese "buenas tardes" como diciendo, "esas tardes sí que van a ser buenas por lo que veo, refresco, ron y condones, que buena vida, condená".

Me monto en el carro y, como es de esperarse, me tocan todos, absolutamente todos los semáforos en rojo. Me estaciono en el colmado a dos calles de la casa, como siempre, se ha convertido en mi estacionamiento oficial, esa señora tiene su casa como si fuese un apartamento de playa, tendrá la edad de mi abuela, presumo, pero se pasa viajando con el marido, cruceros en las islas griegas, 21 días en España, la vida que a uno no le ha dado ni el tiempo ni la imaginación para soñar. Me hago un maquillaje expreso antes de bajarme, un poco de *concealer* de barra en las ojeras, un chin de sombra blanca en los lagrimales para darme luz, *bronzer* en los pómulos, me lo riego con los dedos porque ya no sé ni en que cartera habré perdido la brocha. Agarro mis potes de crema, madera entre las piernas, vainilla entre las tetas. La caminata cómoda, el cuerpo se la sabe de memoria. Ya no hay luchas con las llaves, cuando llego la puerta está junta, ni abierta ni cerrada, junta. Entro a la casona a duras penas con las tres bolsas en la mano y también la cartera, y sigo el ritual que me he ido inventando. Todavía tengo el pelo húmedo, él me saluda en la entrada, me besa en la boca, me traza la quijada, me mordisquea el borde de la oreja, hace aguajes de morderme el cuello, me quita las bolsas, camina hasta la cocina, me quita la cartera, la pone encima de la isla, esa isla de mármol sobre cedro, cedro rojizo y oscuro, pone dos vasos de cristal sobre el mármol, saca las cosas de la bolsa, sonríe.

–Por lo menos mami compra en esa farmacia todo el tiempo.

Pone las botellas en el congelador, los condones en mi cartera, el recibo dentro de mi billetera. Abre la nevera, saca un limón verde, lo rebana con cuidado, casi casi con precisión quirúrgica. Tiene las mangas enrolladas, no sé a qué arquetipo se me relaciona esa imagen, pero pienso en hombres que desnudan siempre que los veo arremangados. Exprime las rodajas de limón en el fondo vacío de los vasos, tira las cáscaras en el triturador de comida.

–¿Qué hace? Qué desperdicio de limones.

–Ni comida en el trago, ni ropa en la cama.

Entonces saca las botellas del *freezer* que no deben haberse enfriado nada. Sirve el ron hasta poco más de la mitad del vaso, lo salpica con refresco, se ve claro, peligrosamente claro.

Yo me río.

—¿Usted está tratando de emborracharme y aprovecharse de mí?

—Hace rato que eso no hace falta, Analía, hace rato. Además, tú estás bebiendo por otra cosa y lo sabes. ¿Quieres hablar?

—¿Pa'qué?

—Bueno, porque eso es lo que hace la gente, Analía, hablar, la gente habla.

—Si yo quisiera hablar, iba a un sicólogo, para eso usted me paga un plan médico ¿o no?

—Deberías, tú estás loca pa'l carajo.

Me haló hacia él, me subió el traje hacia arriba, como si estuviese mondando una fruta, mondándome con las dos manos, y yo sin haber comido nada, sintiendo el sabor de ron en mi boca y en la de él. Bloqueando la mente, alargando el tiempo, erradicándome del cráneo los ojos vidriosos de mi abuela, la hora esa tortuosa a la que iba, la hora en la casa de Dios donde la gente va a rezar o pensar en listas de compras y cosas que hay que pagar.

—A alguien por ahí se le olvidó ponerse pantis.

—No.

—¿Vas para una iglesia sin ropa interior?

—¿Qué diferencia hace?

Me dejó desnuda y él se dejó la ropa casi entera. Me trepó en la isla de la cocina, sentí el mármol frío en las nalgas. Me abrió las piernas y se puso de cuclillas para comerme. Y yo ahí, sentada en una cocina de lujo con las piernas abiertas, y él, vestido, abajo, con las mangas enrolladas, lamiéndome por primera vez y yo diciendo que no, gimiendo noes, diciéndole pare, pare, pare, y su lengua invadiéndome, suave suave como beben los gatos, como se bañan los perros. Sus ojos encima de mi vértice, esos ojos tan de otro sitio, eclipsándose en mis piernas, y yo arañándole un poco el cráneo, halándole un poco el pelo, diciéndole que no, que no, con ganas de decirle que no me gusta abrir las piernas así, que uno se siente más desnudo que desnudo, que no somos pareja, que es una intimidad rara, que no nos toca, anacrónica, mal puesta, que no me gusta que me lama gente que no me ame, una regla rara que tengo, que cuando me lamen me da tiempo a pensar, me pregunto a qué sé, si sabré salada o cítrica o agridulce, si sabré a mar o a harina cruda, a acerolas o a grosellas, si oleré a papayas más dulces de la cuenta o a tierra mojada o a jugo rancio. Me doy un par de sorbos de ron, mientras el chupa y chupa como si fuese limón verde, sin sonidos molestosos de esos que hacen los hombres cuando apenas saben lo que están haciendo y creen que el gemido calienta cuando en realidad distrae. Miro la hora en el microondas y dice seis y cuarenta y dos.

Le halo la cara, se la despego, le interrumpo la succión y él me sonríe y yo le digo, métamelo por favor, que me tengo que ir.

Él me sonríe y me baja de la isla, y yo inmediatamente le abro el pantalón.

—Analía, aquí lo más que hay son camas.

—Yo lo menos que tengo es tiempo.

Agarro un condón de mi cartera y lo abro, sin arrancarle el pedazo que rompo, porque esos pedazos se pierden, y si uno no se va a portar mal, no puede dejar evidencia, así que uno abre el condón sin partir el paquete en dos porque se arriesga a que se pierda una esquinita de la envoltura y esas envolturas no se parecen a nada, no hay manera de justificarlas.

–¿Qué quieres entonces?

–Piso.

–Ya yo no tengo 20 años, Analía, estas piezas ya no vienen.

Pero, diciéndolo, se baja los pantalones, se tira al piso, se acuesta como si nada, de la cintura para abajo, desnudo, dispuesto. Yo le doy el látex recién abierto, porque me aterra romperlo con mis propias uñas y no hay que retar la mala suerte.

Me le engancho encima, me lo acomodo adentro, él intenta decirme algo y yo lo callo con los dedos.

–Usted míreme calladito, míreme.

Yo lo cabalgo con prisa, sin pausa, con violencia. Me subo y me bajo, lo redondeo, lo aprieto con las palmas de las manos, le hundo mis dedos, sin espetar las uñas, sin dejar marcas, sin hablarle, sin decir su nombre, apenas "un puñeta qué rico, qué rico puñeta". Me soboteo yo misma los senos, le agarro las manos, se las pongo en mis nalgas, apriete, que es suyo, apriete, márcame, márcame, márqueme por favor, márqueme que me duela, puñeta que me duela. Él sigue instrucciones calladito, jadeante pero calladito y me espeta las uñas cortas, me aprieta las nalgas como si pudiese desprendérmelas, me da uno que otro golpe, le pido que sea con más fuerza, pero no obedece, y se queja, se queja gustoso y me dice, "Analía, mi amor, Analía, nadie me hace venir como tú", y yo cabalgo más rápido, con más prisa, con más dolor, me acomodo hasta que lo encuentro, ese punto exacto donde todo se dispara y mis ojos se vuelven blancos y no veo absolutamente nada, no siento otra cosa que la piel como si no fuese mía, como si me la estuviesen robando y lo mando a callar sin mirarlo con el dedo índice en la boca y me quedo arriba temblando, apretándolo involuntariamente desde adentro, mi cuerpo todavía succionando, suspiro hondo, me desengancho con cuidado, agarrándole la base para que no se me quede dentro lo que no es, me tumbo a su lado y le digo en la oreja: "Mentiroso".

–¿Puedo usar el baño?

–Analía, por favor.

Entro al baño de visita que huele a potpurrí de canela, una se siente por un momento en un hotel en plena navidad, me miro al espejo, todo el pecho rojo, los cachetes como si estuviera avergonzada, la cara de puta que no me quita nadie, la sangre de mi padre, diría mi mamá. Me mojo el pelo y me lavo la cara con el jabón de manos antibacterial. Me echo una gota en la mano y la diluyo en agua, me siento en el inodoro y me refresco la entrepierna. Salgo y él ya está vestido, limpiando la cocina, me tiro el traje encima y las pulseras, 1, 2, 3, 4, 5, 6 y la de monedita en la izquierda.

Le doy las gracias. Agarro la cartera.

–¿Analía me puedes hacer un favor?

–¿Que me lleve el condón?

Y me dijo que sí con la cabeza, sin mirarme a los ojos.

–No pasa nada.

Abrí la cartera, le di un beso en la frente y miré el reloj del microondas: siete y diecisiete.

Y a asumir la puta como una cuestión milenaria. Como un talento primigenio. Aprender a caminar por la calle con la vergüenza implícita. Con la letra escarlata quemándole a uno hasta las córneas, con los condones usados dentro de la cartera. Portando con uno el DNA del hombre que hace gritar tus entrañas, pero jamás las poblaría. Con el olor ese a sexo, con el pelo cabaretero. Me monto en el carro y me pongo un poco de maquillaje. Y arranco para la iglesia y llego en minutos, tarde, pero llego. Intento entrar por la puerta lateral, pero está cerrada con todo y cadenas. Así que doy la vuelta y llego a la puerta del atrio central y mi primer impulso es halarla, pero las puertas de las iglesias abren hacia dentro, así que hago un escándalo antes de lograr entrar y, cuando por fin abro las puertas, la iglesia entera se vira hacia mí. Escucho un leve murmullo y me concentro para no tropezar, para no tambalear y siento los ojos de todos lo bancos escudriñando mi traje blanco de gaza, casi escucho las quijadas y las cabezas moviéndose de lado a lado. Localizo a mi madre y a mi abuela, están en el tercer banco, y yo caminando por el mismo medio de la iglesia, tarde como siempre, sin ninguna prisa, con el pelo aún mojado, sonando los tacones y las pulseras, y el cura diciendo: descanso eterno concédele Señor y que brille para ella la luz perpetua y que descanse en paz, amén.

Y por fin aterrizo y le doy un beso a mi madre, mi madre que me susurra en el oído:

–¿Tenías que ponerte tacos rojos?

–Ay mami, total, si en tu familia todo el mundo es popular.

–Hueles a ron.

–A Don Q.

Mi abuela me abraza y me dice que estoy linda, que qué bello me queda el blanco, y yo la abrazo y la siento contenta, no tiene la menor idea de lo que está pasando. Su hermana grita y llora en el banco de al frente. Mi abuela sonríe:

–¿Y a esta qué le pasa?

Y el cura:

–Démonos fraternalmente el saludo de paz.

23

-Analía, mamita, ¿cómo estás?

-Bien y tú mamá, ¿qué pasó?

-Voy a ponerle un detective privado a tu papá.

-Okei.

-¿Okei?

-Mama, ¿qué quieres que te diga?

-Coño que opines, que digas algo, soy tu mamá, que tengas algo de empatía conmigo.

-Empatía... a ver... y... ¿por qué o para qué quieres contratar a un detective mami?

-Porque creo que todavía tu padre sigue en sus andadas.

-Y... si el detective te dice que sí, que en efecto mi padre continúa en sus andadas, ¿qué vas a hacer?

-Analía, una cosa a la vez, primero tengo que conseguir un detective privado, después tengo que conseguir los chavos y después cuando me diga si sí o si no, entonces decido.

-Mami, honestamente, si te trae una foto de él enganchado con otra, ¿lo vas a dejar?

-Analía, no sé, ¿qué clase de pregunta es esa?

–Bueno mami, porque si lo vas a dejar, yo misma te consigo los chavos. Pero si vas a contratar al tipo, para tener las fotos en la mano, tirárselas en la cara, quedarte con él y pasarte la vida torturándote y torturándolo con las jodidas fotos, coge los chavos y date un *spa*.

–Yo parece que no te parí, de verdad.

–Porque me pariste es que te lo tengo que decir, porque la que se va a tener que chupar el llantén y el drama voy a tener que ser yo y honestamente yo no tengo ni mente ni tiempo para eso.

–Es que tú eres idéntica a tu padre, todo te da lo mismo, todo te resbala, con lo que no quieres bregar, no bregas y es como si no existiera y si no existe no te duele.

–Estás hablando mierda, mami.

–A mí no me hables así.

–A mí no me vengas a decir que no brego, porque si alguien no quiere bregar eres tú, que llevas meses buscando un jodío *home* para meter a Bueli y lavarte las manos.

–Analía a mí no me importa que tengas 30 años, yo soy tu madre y por primera vez en la vida te voy a cruzar la cara de una galleta.

–Segunda.

–¿Cómo que segunda?

–Sería la segunda vez que me das en la cara.

–Mentirosa.

–Adiós, carajo, mira a quién parece que se le están presentando síntomas prematuros de Alzheimer.

Cuando se murió abuelo Leo, mami, me cruzaste la cara en el colegio.

—A la verdad que tú no perdonas una.

—Y tú las perdonas todas.

—¿Qué tú quieres decir con eso?

—Bueno, cuando te conviene, perdonas, porque a papi se las perdonas todas. Pero a Bueli y a mí...

—No metas a tu abuela en esto Analía. Tú sabes que a tu abuela yo la cuido como si fuera mi hija.

—Pero no es tu hija mami, es tu madre y sí, la cuidas, pero la quieres cuidar sólo hasta que empiece a cagarse encima.

—Es que a la verdad que tú tienes una lengua.

—Y tú una habilidad para recordar lo que te conviene.

—Yo no sé de qué tú te quejas tanto, Analía, si a ti se te dio todo, todo. No te puedes quejar, si tú vieras en la casa que yo crecí.

—Mami, yo me crié en la casa que tú te criaste, me crió quien mismo te crió a ti. Comí las mismas cosas, me cantaron el mismo turulete, me pusieron a rezar los mismos rosarios y me metieron miedo con el mismo cuco.

—Analía, algún día tú vas a entender, si yo me pongo vieja y chocha, yo por tu bien quisiera que me metieras en un asilo, no que perdieras tu vida cuidándome.

—Mami, tú sabes que yo a ti nunca te haría eso.

—Voy a verte, te voy a ver cuando me ponga a acusarte de que te robo las cosas, cuando sientas que no me puedes dejar sola un minuto sin que algo pase. Analía, tu abuela ya no está ahí, ya yo no sé cómo más decírtelo.

—Está ahí, esa es la mierda, eso es lo que tú te sigues repitiendo para lavarte las manos.

—No está, lo que pasa es que no lo quieres ver y miras para el otro lado.

—Entonces a final de cuentas en algo salí a ti.

—¿Qué se supone que signifique eso, Analía?

—Nada, mami, nada.

—¿Tú vas a dejar tu trabajo para cuidar a Bueli?

—Mami...

—No, porque si tú te vas a mudar con ella y vas a dejar tu trabajo y le vas a hacer las tres comidas, y la vas a llevar al médico y le vas a dar las pastillas y la vas a bañar y le vas a limpiar la mierda cuando se cague encima, pues no se hable más. No hay que buscar ningún asilo.

—Tú sabes que yo no puedo hacer eso, mami.

—Pues yo tampoco, Analía, yo tengo un trabajo y yo tengo que atender a tu papá.

—Adiós cará, no que ibas a ponerle un detective.

—Una cosa no tiene que ver con la otra y tú lo sabes.

—No, si lo tuyo es dividir las cosas.

—Olvídate, llamaron de Santa Teresa de Jornet y se abrió un espacio, la semana que viene voy a llevar a tu abuela, mañana voy a empezar a recoger las cosas por si quieres venir a ayudarme.

—Gracias por la invitación, pero no puedo.

—Nos vemos, Analía, de verdad que contigo no se puede hablar.

—Y contigo no se puede contar mami, de verdad, a menos que uno sea papi, contigo no se puede contar.

—Bye, Analía.

24

Mamita me contaba que, cuando yo era bebé, una vez mis hermanos me sentaron encima de un hormiguero, dizque sin querer, dicen ellos, y se dieron cuenta ya cuando las hormigas me llegaron a la cara porque ni siquiera jirimiquié. Desde entonces me gané el apodo de Bobita. Pero yo no soy boba na', yo siempre soy la que me trepo a los árboles a buscar frutas y la primera que confieso cuando hacemos algo para que la pela me la den a mí.

Papito dice que soy como un gato porque me encanta encaramarme a los árboles, pero despúes no sé cómo bajar. Hoy me trepé al palo de grosellas porque queríamos pedirle a mamita que nos hiciera un dulce. Ya había agarrado un montón de grosellas y las tenía en los bolsillos del traje, cuando estaba tratando de bajarme, se partió la rama donde tenía el pie y lo primero que hice fue agarrarme el bolsillo para que no se me cayeran las grosellas. Me caí de boca y me rompí la nariz. Peor que la caída y el golpe, fue el fuete que me dieron antes de llevarme al Hospital Municipal. Los chorros de sangre me bajaban por la cara, pero no lloré, porque yo no soy cobarde, yo soy valiente y lo único que tengo de bobita es la fama.

Tuvieron que drenarme la nariz porque la sangre me la tenía bloqueada y no podía respirar. Mamita estaba furiosa, porque decía que las niñas no tenían que estar enganchadas en palos haciendo nada. Me dijo que ojalá no se me quedara la nariz deforme, porque bobita y con la nariz fea entonces sí que para vestir santos, me iba a tener que quedar. Pero no lloré, por más que me dolió perder las grosellas, y el cantazo en la nariz y el miedo cuando me la estaban traqueteando para sacarme la sangre y aunque mamita me dijera de nuevo bobita, yo no lloré.

25

Llevo dos semanas sin hablarle a mi mamá, llevo una semana sin ver a mi abuela. Es el tiempo más largo que ha pasado para ambas cosas. No he podido o no he querido ver a mi abuela desde que la metieron en el hogar. Recuerdo el día en que mi madre me dijo que Bueli estaba enferma. Aprendí lo que era estar enferma desde antes de entender lo que era la muerte. La gente se enfermaba todo el tiempo. A la gente a mi alrededor le daba cáncer. Nadie supo explicarme lo que era. Era sencillamente una enfermedad bien grande con un nombre bien feo que se ensañaba con alguien y, en mi caso muy particular, se ensañaba con mi familia.

Teníamos dulce para el cáncer. Así como algunas personas dicen ser dulces para las picadas de hormigas, majes y abejas, nosotros éramos propensos a ser atacados por el cáncer. No era algo sanguíneo, es decir, no requeríamos tener el mismo ADN, solamente teníamos que ser "familia" y, en este país, la familia es un concepto bastante amplio, amorfo y tolerante. Porque en mi familia le dio cáncer a Bueli, a abuelo Leo, a tío Emilio, a la esposa que siempre fue su chilla, a mi tía Amalia y hasta los perros de Bueli se morían de cáncer y había que ponerlos a dormir. Así le dicen los veterinarios a la eutanasia, ponerlos a dormir. Bíblico, el descanso eterno de los fieles. Una vez le pregunté a Bueli que por qué a los perros, cuando les daba cáncer, se les ponía a dormir y a la gente no. Me dijo que es que los animalitos sufrían mucho y, para evitarles el dolor, les ponían una inyección y se quedaban dormidos y no les dolía nada. Le pregunté si a la gente el cáncer no le dolía. Me contó que una vez cuando chiquita le preguntó a su mamá si la plancha quemaba y mamita (mi abuela siempre trató a su mamá de usted pero le decía mamita) le pegó la plancha en el brazo para que viera cuánto quemaba. Me dijo que era malo hacer tanta pregunta, que había cosas que eran porque eran y que cuando no entendiera las cosas, rezara, porque Papa Dios responde a las preguntas de sus hijos y que las oraciones de los niños llegaban al cielo más rápido que las de los adultos. Crecí pensando que si se me ocurría preguntarle a Dios sobre el cáncer, al otro día tendría cáncer y se me empezaría automáticamente a caer el pelo.

Y ahora me monto en el carro y sé que voy a verla, que voy a visitarla en un hogar. Guío con la mente en otro lado, con todas mis neuronas trabajando para convencerme de que no estoy traicionándome, pero sabiendo que no estoy haciendo lo correcto, que aquí los daños colaterales no son contados. Que esto se siente como un aborto. Como algo que se mata aunque sea legal. Como el asesinato de una posibilidad, como la eutanasia de un ser querido. Es como debe ser ese momento en el que se desconectan las máquinas de alguien que llevas meses tocándole las manos y esperando que despierte, interpretando las señales, la vibración de los párpados, el apretón de manos como una promesa de despertar, por más que los médicos digan que son meros reflejos físicos, que no significa nada que no sea el cuerpo reaccionando a las pocas señales cerebrales vivas. Es como cuando a uno le dicen de niño que el perro está sufriendo y hay que ponerlo a dormir. Y uno se convence que de verdad está sufriendo, que eso no es vida y lo lleva a ponerlo a dormir, pero ponerlo a dormir es traicionarlo, es no darle una opción, es saber que ya no lo vas a ver, que te rendiste, que te quitaste, que estás yendo en contra del orden natural de las cosas. Que sabes que tu perro no te haría eso. No importa que no piense, su reacción es perseguirte, lanzarse a la piscina si te tiras, seguirte por la orilla de la playa, sumergirse en el mar aunque le tema, porque es un amor incondicional y aunque la gente diga que no es amor porque los animales no tienen consciencia de sí mismos y por lo mismo no pueden sentir cosas tan sublimes como el amor. No conozco a nadie salvo quizás a mi madre y con seguridad, mi abuela, que se hubiese metido con los ojos abiertos al mismo medio de lo desconocido, a la profundidad de lo que más le teme ante la mera posibilidad de que yo corriese peligro. Sin embargo nosotros, frente a una abuela que olvida, frente a un cuerpo que se encorva y poco a poco se le ven los pliegues, las costuras, las costillas, un cuerpo que hay que levantarle los remanentes de senos para limpiarla con pañitos, ponerle crema en las nalgas flacas para que no se le irriten como ella me hacía cuando era yo la que usaba pañales. Pero nuestra vida es muy compleja, ella entendería, ella querría que nosotros siguiéramos viviendo, no que estuviéramos esclavizados a cuidar el cuerpo que alguna vez fue matriarcal. Así que hoy recogí de la casa vacía de mi abuela cajas que no podré nunca abrir, me llevé las bolsas que me sacó mi madre para regalar ropas que ya nunca usará a entidades benéficas, al ejército de salvación, a cambio de una hojita que diga que donamos y que es deducible de los impuestos. Me alegra que la caja de las prendas esté vacía, que no haya forma de imaginar dónde rayos Bueli lo escondió todo. Tengo este extraño presentimiento de que cavó un hueco al pie del árbol de grosellas, donde tantas veces mirábamos por la ventana a las iguanas sembrando sus huevos. El árbol de grosellas que se fue muriendo poco a poco, pero sobrevivió como buen macho al hongo ese blancuzco que se fue quedando con todo, empezó con las frutas, pudriéndolas y haciéndolas infructuosas e imposibilitándonos saborearnos la fruta agria, el dulce de grosella caliente que mi abuela hacía y le echábamos por encima al mantecado de vainilla. Ese hongo blancuzco se comió las hojas, le debilitó las ramas y poco a poco se le fue metiendo en el tronco, quitándole lo bonito, volviéndolo el fantasma que ahora es, las ruinas de tantas cosas que tuvimos, que fuimos y que hoy apenas tenemos prueba de que alguna vez existieron y no son más que meras falsas memorias colectivas que ni el mismo árbol testificaría a favor.

Llego en piloto automático al asilo, me acerco a la recepción y pregunto por Bueli. Y me dijeron que en el atrio de la derecha, la cuarta puerta a la izquierda.

El teléfono vibra y leo un mensaje de texto que leía: "Me encantaría estar contigo ahí, sé que es un momento difícil para ti pero tú entiendes, un abrazo". Próximo: "Dile a tu madre que el vuelo se atrasó que no voy a poder llegar a tiempo, perdóname, las amo".

Encuentro la cuarta puerta a la izquierda y entro, maniobro con la perilla con todo el cuidado del mundo y la veo sentada, sonriente, con las manos amarradas a la silla de ruedas, ante la imagen vacía y lacrimosa de un televisor.

La enfermera entró y preguntó si estaba bien, le dije que sí, pero que no había nada en la pantalla del televisor, que por favor le arreglaran el cable.

–¿Por qué está amarrada?

–Por su seguridad.

–Pero ella nunca se ha hecho daño.

–Estaba bien violenta en la mañana.

–Bueli es la mujer más pacífica del mundo.

–No se preocupe, es temporero, a veces reaccionan así en lo que se acostumbran al ambiente.

Me le acerqué a mi abuela y le acaricié el pelo, me quité mi pulsera de la mano izquierda, la de las moneditas, y se la puse como pude en su mano izquierda, donde siempre llevaba su reloj.

La señora me dijo que si tenía discos, cassettes, o música que le gustara, se la podían poner y le dije que sí con el pecho apretado, con la garganta trancada, sintiendo que me temblaban pedacitos de la cara. Le pedí que se quedara con ella un minuto, que me diera una oportunidad para ir al carro, que de seguro en las cajas tenía que tener un disco de Juan Gabriel o algo por el estilo. Y sentí la voz a punto de quebrantárseme, le dije vengo ahora, y huí despavoridamente al carro y el aire no me llegaba, salí, prendí el carro, prendí el aire y la radio y salió música de navidad. Y busco en el asiento del pasajero en la caja marcada como misceláneos, porque a mi madre le encanta clasificarlo todo y pensé que quizás allí había música o libros de crucigramas y sopas de letras y encontré una grabadora, un aparatito viejo que a simple vista parecía imposible que aún prendiera. Le traqueteé los botones, hasta conseguir escuchar un sonido como de estática, como de televisor sin señal.

Le di al botón de *play* y escuché la voz de mi abuela. Aquella voz suave de cantar nanas, su voz más joven, pareciera mentira pero las voces envejecen. Bueli contaba la vez que a todo el mundo se le olvidó dejarme en la escuela, y escuché la historia conocida y olvidada con ganas de morirme y se me cayó la grabadora al piso, por debajo del freno y del acelerador del carro. La agarré e intenté volver a prenderla, jugué con las baterías, adelanté la cinta, volví a darle *play*, y allí estaba su voz de vuelta: "Pones las grosellas en una cacerolita con un poco de agua, las meneas sin prisa pero sin pausa, añadiéndole poco a poco la azúcar morena, le echas canela a gusto, no demasiado, porque se amarga, cuando casi esté lista y tenga textura de compota, le rocías el ingrediente mágico: un poco de nuez moscada."

Acabé con los ojos al borde del agua, el pecho apretado, presumiendo que así se sienten los ataques de asma, los pequeños infartos, las reacciones alérgicas a los mariscos, los ataques de pánico que nunca le creo a mi madre, una imposibilidad de respirar como si uno se estuviese ahogando en el fondo del mar estando en un sedán de siete años con un acondicionador de aire perfectamente funcional. Y me quité mis pulseras 1, 2, 3, 4, 5, 6 y finalmente me eché a llorar.

Edmaris Carazo es graduada de la Universidad de Puerto Rico, Recinto de Río Piedras, Bachillerato en Estudios Hispánicos en el 2006. Obtuvo el grado de Juris Doctor en la Escuela de Derecho de la Universidad de Puerto Rico en el 2012. Mantiene un blog desde el 2008, siemprejueves.com. Publicó su cuento "En Temporada" en la *Antología de Cuentistas Emergentes en Puerto Rico: Cuentos de Oficio*. Su novela *El día que me venció el olvido* ganó mención honorífica en el certamen de novela del Instituto de Cultura en el 2013. Su cuento "Dentro y Fuera" fue publicado en la antología *San Juan Noir* de Akashic en el 2016. Ha publicado el cuento "Deseos Repetidos" en la antología: *Cuentos de Huracán* (2018). Actualmente es directora del departamento de mercadeo de una empresa puertorriqueña.

Made in the USA
Middletown, DE
22 October 2021

50650974R00111